Letts
and
LONSDALE

GCSE
Success

Workbook

French

OVERNIGHT LOAN

Lawrence Briggs

Contents

Homework diary 4
Exam hints 5

Everyday life

		Revised
My home 1 6	☐
My home 2 8	☐
Family, friends and me 1 10	☐
Family, friends and me 2 12	☐
Daily routine 1 14	☐
Daily routine 2 16	☐
School and money 1 18	☐
School and money 2 20	☐
School and money 3 22	☐
Descriptions 1 24	☐
Descriptions 2 26	☐

Leisure and travel

		Revised
Getting about 1 28	☐
Getting about 2 30	☐
Leisure, hobbies and sports 1 32	☐
Leisure, hobbies and sports 2 34	☐
Where did you go… and what did you do? 1 36	☐
Where did you go… and what did you do? 2 38	☐
Once upon a time 1 40	☐
Once upon a time 2 42	☐
Holiday accommodation 1 44	☐
Holiday accommodation 2 46	☐
Directions and transport 1 48	☐
Directions and transport 2 50	☐
The world of preferences 1 52	☐
The world of preferences 2 54	☐

448.2421

Out and about

	Revised
Welcome! 1 56	☐
Welcome! 2 58	☐
Food and drink 1 60	☐
Food and drink 2 62	☐
Food and drink 3 64	☐
At the shops 1.. 66	☐
At the shops 2.. 68	☐
Problems! 1... 70	☐
Problems! 2... 72	☐
Problems! 3... 74	☐

The wider world

	Revised
The future 1... 76	☐
The future 2... 78	☐
Our world 1 80	☐
Our world 2 82	☐
Which way to go? 1 84	☐
Which way to go? 2 86	☐

The exams

Exam practice papers 89	☐
Exam practice paper answers.................................... 95	☐

Homework diary

Topic	Score
My home 1	/39
My home 2	/40
Family, friends and me 1	/25
Family, friends and me 2	/35
Daily routine 1	/36
Daily routine 2	/49
School and money 1	/40
School and money 2	/40
School and money 3	/40
Descriptions 1	/40
Descriptions 2	/29
Getting about 1	/45
Getting about 2	/45
Leisure, hobbies and sports 1	/40
Leisure, hobbies and sports 2	/17
Where did you go... and what did you do? 1	/50
Where did you go... and what did you do? 2	/50
Once upon a time 1	/50
Once upon a time 2	/45
Holiday accommodation 1	/20
Holiday accommodation 2	/30
Directions and transport 1	/30
Directions and transport 2	/32
The world of preferences 1	/35
The world of preferences 2	/25
Welcome! 1	/45
Welcome! 2	/20
Food and drink 1	/31
Food and drink 2	/25
Food and drink 3	/20
At the shops 1	/35
At the shops 2	/20
Problems! 1	/30
Problems! 2	/35
Problems! 3	/30
The future 1	/30
The future 2	/30
Our world 1	/30
Our world 2	/30
Which way to go? 1	/40
Which way to go? 2	/35

Exam hints

Remember, whether you're answering questions at **Foundation Level** or **Higher Level**, always follow the guidelines below.

Planning

- Find out the **dates** of your first French examination. Make an **examination and revision timetable**.
- After completing a topic in school, go through the topic again in the **GCSE Success French Revision Guide**. Copy out the main points into a notebook or use a **highlighter** to emphasise them.
- Try and write out the **key points** from memory. Check what you have written and see if there are any differences.

Revising

- French should be **revised actively**. You should be doing **more than just reading**.
- Revise in **short bursts** of about **30 minutes**, followed by a **short break**.
- Learn **vocabulary** from your exercise books, notebooks and the **Success Revision Guide**.
- Look through and make sure that you **understand** the examples in the Success Revision Guide.
- Do the **multiple choice** and **quiz-style questions** in this book. Check your solutions to see how much you know.
- Once you feel **confident** that you know the topic, do the **examination-style questions** in this book. Highlight the **key words** in the question, **plan** your answer and then go back and **check that you have answered the question**.
- Make a note of any topics that you do not understand and **go back through the notes again**.
- Use the **homework diary** to keep track of the topics you have covered and your scores.

Getting ready for the examination

- Read the instructions **carefully** and do what you are asked to do: if there are **five marks** you'll probably have to give **five details**, and so on.
- Use the examples provided and any **picture clues** to help you understand and complete the task, especially when the instructions are **in French**.
- Look for words that are **familiar** or **like English** in the instructions and in the texts.
- Use **logic**: once you know the setting, think what is most likely to happen so you can anticipate what might be said or written.
- **Skim** texts first to get a general idea, then **scan** for details. **Ignore difficult words** if the task does not ask you about them.
- **Use your knowledge of grammar** to work things out: agreement of adjectives, what tenses are being used, what does 'on' mean?, etc.
- If the text seems too difficult, **break it down** and ask yourself these questions: **Who? When? Where? What (are they doing)?**
- Spot words that mean **more or less the same**: 'de bonne heure' and 'tôt', 'enfin' and 'finalement', etc.
- Make use of the **layout**: sometimes you will be asked the same number of questions on each section or paragraph or short text.
- Use **elimination**: start with the answers you know and **leave the hardest till the end** when there might be just one or two alternatives left.
- Thinking about how you **pronounce** some of the difficult words might **help you to remember or work out the meaning**.
- Expressions of **opinions** and **feelings** often feature at **Higher Level**, so learn them by heart and look out for them.

My home 1

A

Choose just one answer: a, b, c or d.

1 The present tense describes something that:
a) has happened
b) will happen
c) was happening
d) is happening now **(1 mark)**

2 'On' has the same verb ending as:
a) je
b) nous
c) il and elle
d) tu **(1 mark)**

3 How many groups of verbs are there in French?
a) two
b) three
c) four
d) five **(1 mark)**

4 What kind of verbs are 'avoir', 'être', 'aller' and 'faire'?
a) irregular
b) regular
c) reflexive
d) '-ir' **(1 mark)**

5 If 'je' comes before a vowel, it:
a) becomes 'j'ai'
b) stays the same
c) shortens to 'j'
d) adds an 'e' **(1 mark)**

Score   / 5

B

Answer all parts of the question.

1 Show how much vocabulary you know. Label the items indicated in this drawing of a house.

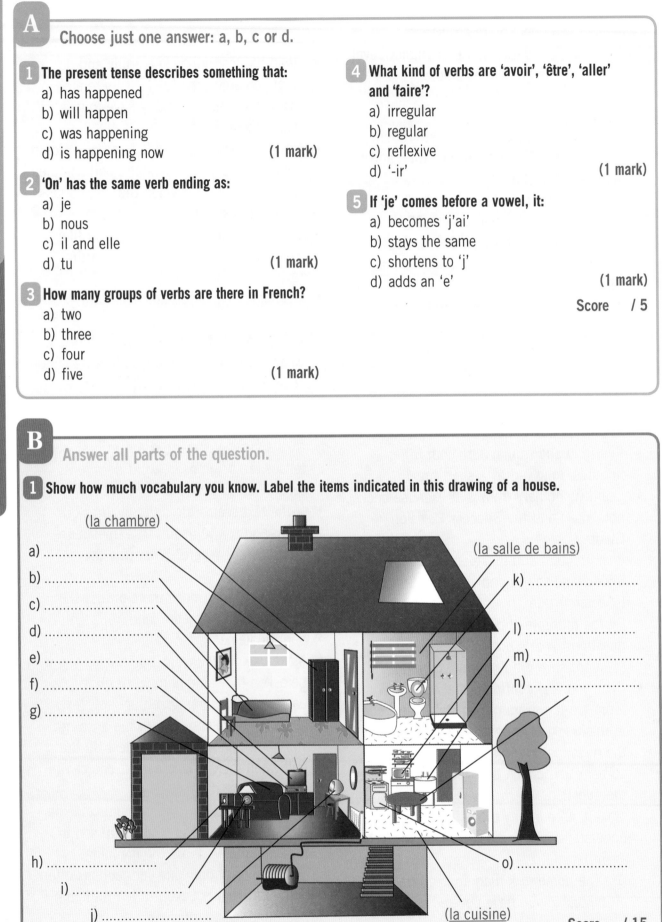

(la chambre)
a) ....
b) ....
c) ....
d) ....
e) ....
f) ....
g) ....
h) ....
i) ....
j) ....

(la salle de bains)
k) ....
l) ....
m) ....
n) ....

o) ....

(la cuisine)

Score   / 15

C These are GCSE-style questions. Answer all parts of the questions. Continue on separate paper where necessary.

Lisez le texte.

> *Salut!*
>
> *J'habite à Bristol. C'est une grande ville dans l'ouest de l'Angleterre. J'habite tout près du centre-ville. Il y a beaucoup de grands magasins et de parcs en ville. C'est super! J'adore ma ville!*
>
> *Jérôme, 16 ans*

1 Écrivez dans la case la lettre du mot qui correspond.

a) Jérôme ☐B☐ à Bristol.

b) Elle est ☐ comme ville.

c) Elle est située dans l'☐.

d) Jérôme habite près du ☐.

e) Beaucoup des magasins sont ☐.

f) Il adore ☐ ville.

A grands
B habite
C ouest
D grandes
E sa
F centre-ville
G nord
H grande

(5 marks)

2 Read your exchange partner's e-mail then answer his questions about your bedroom. Write your reply in French using the pointers below. You need to say it's your own bedroom (not shared), and talk about its size and contents, and what activities you do in there.

> *Salut!*
>
> *Alors, tu partages une chambre? Elle est comment, ta chambre? Et qu'est-ce que tu as dans ta chambre? Moi, je passe beaucoup de temps dans ma chambre. Et toi?*
>
> *Réponds-moi vite!*
>
> *Amitiés, Chris*

Écrivez un mail à Chris en français.
Répondez à ces questions:

- Comment est votre chambre?
- De quelle couleur sont les rideaux, le tapis et les murs?
- Qu'est-ce qu'il y a dans votre chambre?
- Vous faites quelles activités dans votre chambre?

(14 marks)

Score   / 19

For more on this topic see pages 8–11 of your Success Guide.   Total score   / 39

How well did you do?   ✗ 0–10 Try again   11–20 Getting there   21–30 Good work   31–39 Excellent! ✓

My home 2

A
Choose just one answer: a, b, c or d.

1 Adjectives always describe:
a) a verb
b) an adverb
c) a noun
d) a connective **(1 mark)**

2 How many different types of ending are there for most adjectives?
a) one
b) two
c) three
d) four **(1 mark)**

3 Where do most adjectives go?
a) first word in the sentence
b) at the end
c) after the noun
d) before the noun **(1 mark)**

4 What does 'bleu foncé' mean?
a) light blue
b) blue
c) dark blue
d) sky blue **(1 mark)**

5 What adjective of colour never changes its ending?
a) gris
b) marron
c) rouge
d) blanc **(1 mark)**

Score / 5

B
Answer all parts of all questions.

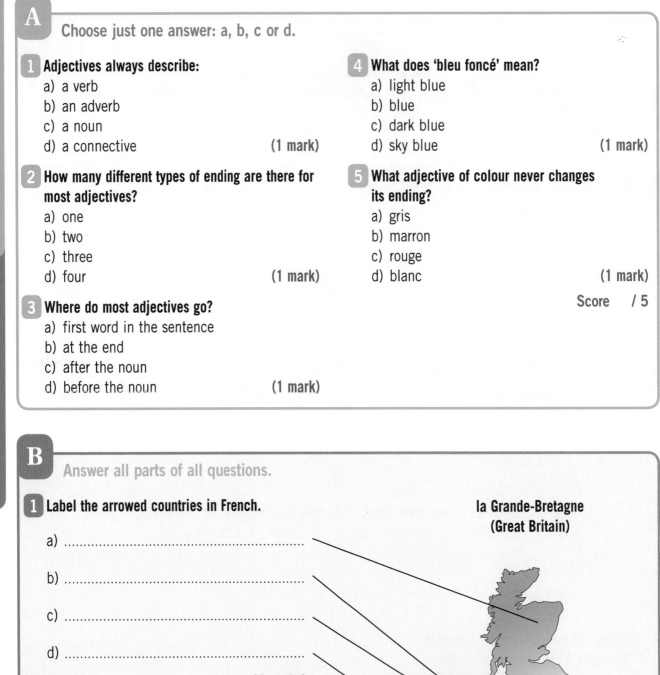

la Grande-Bretagne
(Great Britain)

1 Label the arrowed countries in French.

a) ....

b) ....

c) ....

d) ....

(4 marks)

2 Use **en** or **au** as appropriate, to fill the gaps and say where people live.

a) J'habite .... Irlande, et toi?

b) Tu habites .... Pays de Galles?

c) On habite .... Écosse.

d) Ton frère n'habite pas .... Angleterre?

(4 marks)

Score / 8

C These are GCSE-style questions. Answer all parts of the questions. Continue on separate paper where necessary.

Lisez le texte.

Salut!

J'habite à Villeneuve dans le sud-ouest de la France. C'est un petit village à cinq kilomètres de la ville de Blaye. Au village il n'y a pas grand-chose – il n'y a pas de magasins et il n'y a pas de café non plus, mais il y a la rivière tout près, et Bordeaux est à cinquante kilomètres vers le sud. J'habite une grande maison de campagne avec mes parents. C'est une vieille maison de neuf pièces. Il y a une grande cave et au rez-de-chaussée il y a la cuisine, le séjour, la salle à manger, la salle de bains et quatre chambres. Au premier étage il y a une grande pièce – c'est le deuxième séjour. Derrière la maison on a aussi un grand jardin avec une belle pelouse et beaucoup de fleurs et d'arbres. Et toi? Tu habites une maison ou un appartement? C'est comment chez toi? Comment tu trouves? Moi, j'adore ma maison, même s'il n'y a pas grand-chose pour les jeunes au village.

Laurence, 18 ans

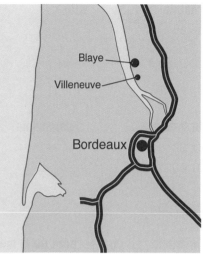

1 Écrivez **V** (vrai), **F** (faux), ou **?** (on ne sait pas) à côté de chaque phrase.

a) Laurence habite au nord de Bordeaux. ☐

b) Villeneuve est plus grand que Blaye et Bordeaux. ☐

c) Il y a des magasins tout près de sa maison. ☐

d) Le village est situé au bord de la mer. ☐

e) Elle habite une vieille maison modernisée à l'intérieur. ☐

f) La maison n'a pas de cave. ☐

g) Il y a de l'espace vert derrière la maison de Laurence. ☐ (7 marks)

2 Look at the letter above again and follow these instructions.

Vous avez lu cette lettre dans un magazine. Écrivez une lettre en français pour parler de votre ville/village et de votre domicile – donnez vos opinions là-dessus. Mentionnez:

- où se trouve votre maison/appartement par rapport à la ville la plus proche
- ce qu'il y a au village/en ville
- votre maison ou appartement, y compris une description des pièces et du jardin
- vos opinions sur votre domicile et votre ville/village.

(20 marks)

Score   / 27

For more on this topic see pages 8–11 of your Success Guide.   Total score   / 40

How well did you do? ✗ 0–10 Try again   11–20 Getting there   21–30 Good work   31–40 Excellent! ✓

Family, friends and me 1

A

Choose just one answer: a, b, c or d.

1 J'habite .... ville.
a) au
b) dans
c) à la
d) en   (1 mark)

2 Tu habites .... campagne?
a) en
b) au
c) à la
d) dans   (1 mark)

3 On habite .... bord de la mer.
a) au
b) dans
c) à la
d) à l'   (1 mark)

4 Il habite .... la banlieue.
a) en
b) au
c) dans
d) à la   (1 mark)

5 Mon frère habite .... Paris.
a) en
b) à
c) au
d) à la   (1 mark)

Score   / 5

B

Answer all parts of the question.

1 Choose the correct question form from the options below to complete these questions.

a) .... tu as un animal?

b) .... âge as-tu?

c) .... cela s'écrit?

d) .... c'est?

e) .... habites-tu?

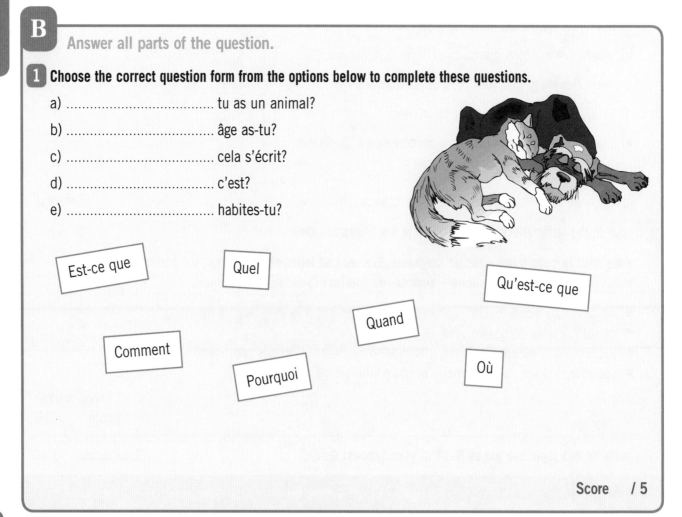

Est-ce que   Quel   Qu'est-ce que

Quand

Comment

Pourquoi   Où

Score   / 5

C

These are GCSE-style questions. Answer all parts of the questions. Continue on separate paper where necessary.

1 **Label each floor of this house.**

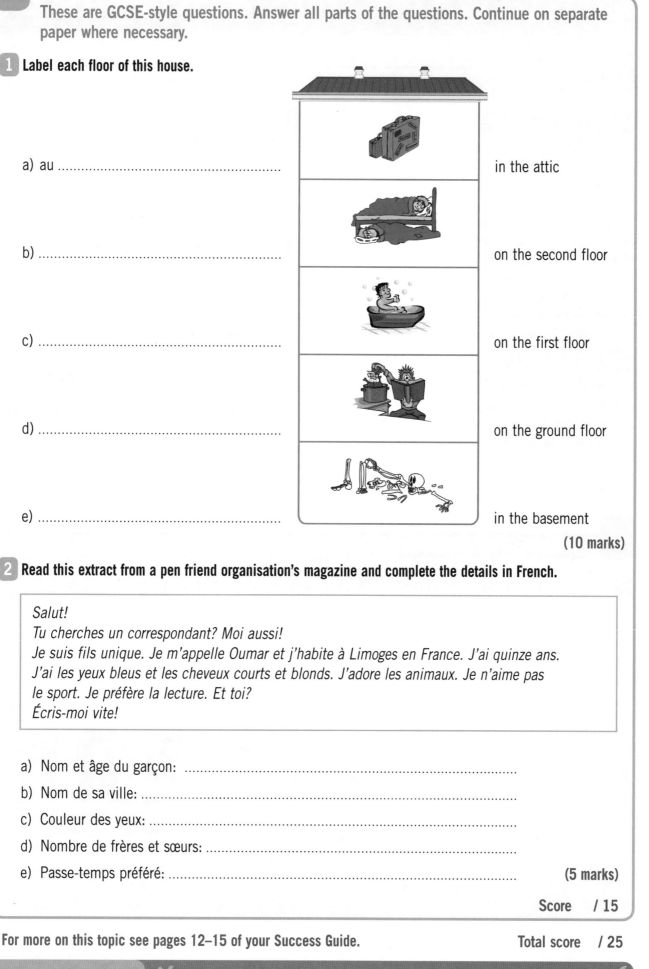

a) au ....   in the attic

b) ....   on the second floor

c) ....   on the first floor

d) ....   on the ground floor

e) ....   in the basement

(10 marks)

2 **Read this extract from a pen friend organisation's magazine and complete the details in French.**

> *Salut!*
> *Tu cherches un correspondant? Moi aussi!*
> *Je suis fils unique. Je m'appelle Oumar et j'habite à Limoges en France. J'ai quinze ans.*
> *J'ai les yeux bleus et les cheveux courts et blonds. J'adore les animaux. Je n'aime pas*
> *le sport. Je préfère la lecture. Et toi?*
> *Écris-moi vite!*

a) Nom et âge du garçon: ....

b) Nom de sa ville: ....

c) Couleur des yeux: ....

d) Nombre de frères et sœurs: ....

e) Passe-temps préféré: .... (5 marks)

Score   / 15

For more on this topic see pages 12–15 of your Success Guide.   Total score   / 25

How well did you do?   ✗ 0–5 **Try again**   6–10 **Getting there**   11–16 **Good work**   17–25 **Excellent!** ✓

Family, friends and me 2

A

Choose just one answer: a, b, c or d.

1 How many ways can you ask a question in French?
a) 1
b) 2
c) 3
d) 4   (1 mark)

2 Complete the question: .... t'appelles-tu?'
a) Qui
b) Comment
c) Pourquoi
d) Quand   (1 mark)

3 Now complete this question:
'C'est .... , ton anniversaire?'
a) où
b) quand
c) comment
d) qui   (1 mark)

4 Fill in the missing verb:
'Tu .... quinze ans.'
a) aimes
b) es
c) t'appelles
d) as   (1 mark)

5 Complete the description with the correct adjective: 'Ma sœur est ...'
a) grande
b) joli
c) petites
d) intelligents   (1 mark)

Score   / 5

B

Answer all parts of all questions.

1 Find out about this boy's father. Draw lines to join the two halves of the six statements about him.

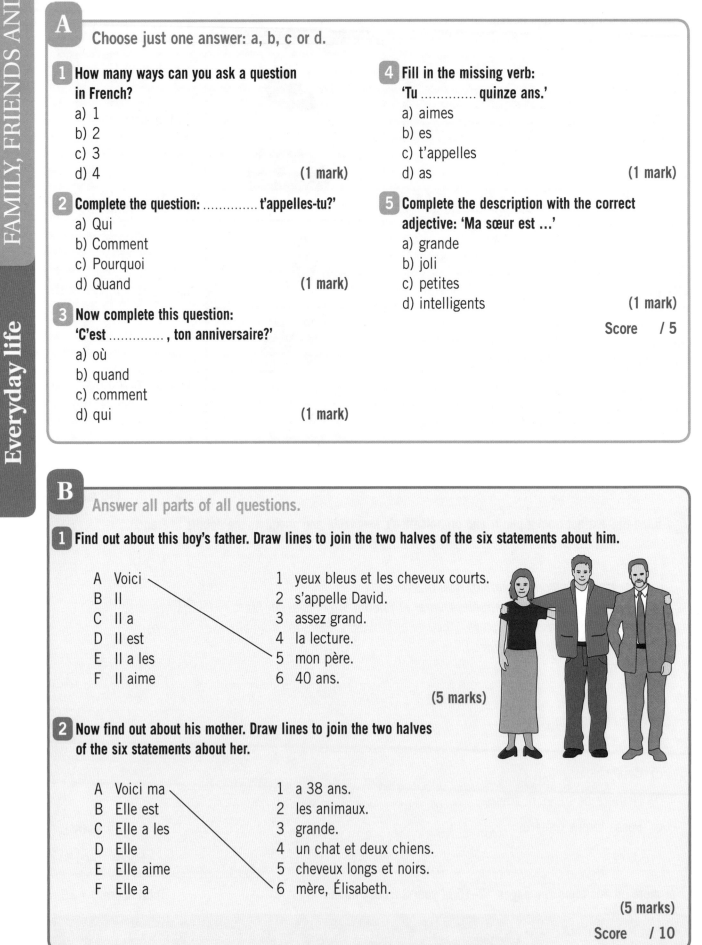

A   Voici
B   Il
C   Il a
D   Il est
E   Il a les
F   Il aime

1   yeux bleus et les cheveux courts.
2   s'appelle David.
3   assez grand.
4   la lecture.
5   mon père.
6   40 ans.

(5 marks)

2 Now find out about his mother. Draw lines to join the two halves of the six statements about her.

A   Voici ma
B   Elle est
C   Elle a les
D   Elle
E   Elle aime
F   Elle a

1   a 38 ans.
2   les animaux.
3   grande.
4   un chat et deux chiens.
5   cheveux longs et noirs.
6   mère, Élisabeth.

(5 marks)

Score   / 10

12

C

These are GCSE-style questions. Answer all parts of the questions. Continue on separate paper where necessary.

You downloaded these e-mails from an electronic notice board on the Internet.

Bonjour, les copains!

Je cherche des correspondants anglais, irlandais, gallois ou écossais. J'aime parler anglais. J'ai quatorze ans et j'habite à Villepré, dans le sud de la France. Je suis fils unique. J'ai les yeux verts et les cheveux roux et longs. J'adore le sport.

À bientôt!

Jonathon

Salut!

Je m'appelle Nadège. J'ai quinze ans. J'habite à Strasbourg dans le nord-est de la France. J'adore ma ville. J'ai deux sœurs et un frère. J'ai beaucoup d'animaux aussi.

Et toi?

Écris-moi bientôt!

Nadège

Salut, les gars!

Qui cherche un correspondant comme moi? J'ai seize ans. J'habite dans le nord-est de la France, à la campagne. J'ai un frère aîné et deux sœurs. Le sport, c'est ma passion. Je n'ai pas d'animal, mais j'aime bien les animaux. Et vous?

Écrivez-moi vite!

Antoine

1 **Answer the questions in English.**

a) Who lives in the south of France? ....

b) Who loves sport and has no pets? ....

c) Who has no brothers or sisters? ....

d) Who lives in the north-east, in the countryside? ....

e) Who has two sisters and a brother and lots of pets? .... **(5 marks)**

2 **Vous avez reçu cette lettre d'une jeune fille française.**

Écrivez une lettre à Nina en français. Répondez à ces questions:

- Comment vous appelez-vous?
- Quel âge avez-vous?
- Où habitez-vous?
- Vous êtes comment? (Décrivez-vous.)
- Vous avez des frères et des sœurs? (Ils sont comment?)
- Vous avez des animaux à la maison?
- Quels sont vos passe-temps préférés?

Salut!

Tu cherches un correspondant ou une correspondante? Moi aussi! Je suis fille unique. J'ai treize ans et j'habite à Tours en France. Je suis sportive, mais je n'aime pas la lecture. Et toi? Et ta famille? Écris-moi vite!

Nina

(15 marks)

Score   / 20

For more on this topic see pages 12–15 of your Success Guide.   Total score   / 35

How well did you do?   ✗ 0–9 Try again   10–19 Getting there   20–27 Good work   28–35 Excellent! ✓

Daily routine 1

A

Choose just one answer: a, b, c or d.

1 Complete the sequence:
'mercredi soir – .... – jeudi après-midi.'
a) mercredi après-midi
b) jeudi soir
c) mardi matin
d) jeudi matin
(1 mark)

2 Complete the sentence with the correct expression of time: 'J'ai cours ...'
a) rarement
b) d'habitude
c) tous les jours
d) le week-end
(1 mark)

3 Choose the correct expression of time:
'Je rentre .... les cours.'
a) avant   b) pendant
c) après   d) pour
(1 mark)

4 Fill in the gap correctly:
'On mange .... dans la cantine.'
a) mardi matin
b) à midi
c) à huit heures
d) jeudi soir
(1 mark)

5 The two most useful irregular '-re' verbs in French are 'prendre' and:
a) attendre
b) vendre
c) rendre
d) faire
(1 mark)

Score   / 5

B

Answer all parts of the question.

1 Look at the drawings and choose the correct sentence for each one from the jumbled list in the box below.

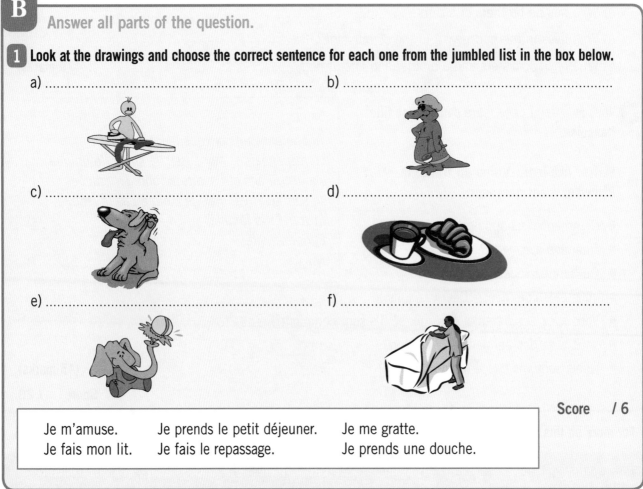

a) ....

b) ....

c) ....

d) ....

e) ....

f) ....

Score   / 6

Je m'amuse.	Je prends le petit déjeuner.	Je me gratte.
Je fais mon lit.	Je fais le repassage.	Je prends une douche.

14

C These are GCSE-style questions. Answer all parts of the questions. Continue on separate paper where necessary.

Read this account of a typical school day in the life of a French student.

> **Une journée typique**
>
> *D'habitude je me lève tôt les jours de la semaine, normalement vers 7h00. Puis je fais ma toilette – je prends une douche tous les jours. Je ne prends pas toujours le petit déjeuner – je mange rarement des céréales, mais j'aime bien prendre un bol de café avec des toasts ou une tartine. Je ne fais jamais mon lit le matin, je n'ai pas le temps car le bus part à 7h30. On arrive au collège à 8h00.*
>
> *Les cours commencent à 8h15. À midi, c'est l'heure du déjeuner. De temps en temps je mange dans la cantine. Ensuite on a encore trois heures de cours. Quelquefois je rentre à pied avec les copains. On va souvent au centre commercial, et on prend une glace ou un jus de fruit dans le café là-dedans. D'habitude je rentre vers cinq heures.*
>
> *Louna, 16 ans*

1 Complétez les phrases: écrivez dans la case la lettre du mot qui correspond.

a) Je me lève de bonne ☐.

b) Je prends ☐ une douche.

c) Je ne prends pas ☐ de céréales.

d) Je ne veux pas arriver au collège en ☐.

e) On a environ ☐ heures de cours le matin.

f) ☐ je prends le déjeuner dans la cantine.

g) Je rentre à ☐ heures environ.

A souvent
B quatre
C rarement
D retard
E heure
F toujours
G bus
H quelquefois
I cinq

(7 marks)

2 Look at the account above again and follow these instructions.

Vous avez lu cet article dans un magazine. Écrivez un article **en français** pour parler de votre journée scolaire typique. Répondez à ces questions:

- Vous vous levez à quelle heure?
- Qu'est-ce que vous prenez pour le petit déjeuner?
- Vous quittez la maison à quelle heure pour aller au collège?
- Comment y allez-vous?
- À quelle heure les cours commencent-ils?
- Et la récréation?
- Que faites-vous pour manger à midi?
- La journée scolaire se termine à quelle heure?
- Que faites-vous le soir?

(18 marks)

Score / 25

For more on this topic see pages 16–19 of your Success Guide.

Total score / 36

How well did you do? ✗ 0–9 Try again 10–18 Getting there 19–27 Good work 28–36 Excellent! ✓

15

Daily routine 2

A

Choose just one answer: a, b, c or d.

1 Complete the sentence with the correct verb:
'Je .... une liste.'
a) fais   b) quitte
c) prends   d) rentre   (1 mark)

2 Find the correct verb again:
'Tu .... un coca?'
a) prends
b) fais
c) lis
d) regardes   (1 mark)

3 Fill in the gap correctly:
'Il .... un bain le matin.'
a) quitte   b) rentre
c) fait   d) prend   (1 mark)

4 Choose the correct verb to complete
the question:
'Qui .... la vaisselle?'
a) lit
b) fait
c) prend
d) quitte   (1 mark)

5 Find the correct reflexive verb:
'Si je suis en retard je me ...'
a) repose
b) couche
c) dépêche
d) lave   (1 mark)

Score   / 5

B

Answer all parts of all questions.

1 Draw lines to link the expressions of time that mean more or less the same thing.

A   normalement   1   toujours
B   quelquefois   2   jamais
C   pas souvent   3   d'habitude
D   tous les jours   4   de temps en temps
E   pas du tout   5   rarement   (5 marks)

2 Complete the sentences. In the first gap, write the correct reflexive pronoun; in the second gap, use
the picture clue to help you work out the missing word.

a) Je .... lève à .... heures.

b) Tu .... amuses au ....

c) Il .... réveille de bonne ....

d) Elle .... repose dans sa ....

e) On .... couche avant ....   (10 marks)

Score   / 15

16

C

These are GCSE-style questions. Answer all parts of the questions. Continue on separate paper where necessary.

Lisez le texte.

> **Mon week-end typique**
>
> *Le week-end je préfère me reposer. C'est vrai que je dois aider à la maison samedi, mais je fais la grasse matinée aussi: je me lève tard, vers dix heures. D'abord, je fais mon lit, puis je fais le ménage un peu de temps en temps. Quelquefois je fais les courses aussi, si mes parents sont trop occupés, mais c'est rare quand même.*
>
> *Normalement je sors avec les copains: on fait un tour en ville, on va au centre commercial prendre un chocolat chaud ou on va au café au centre-ville. Le samedi soir je sors avec ma copine Alima. On va au cinéma et de temps en temps au concert. Puis, dimanche matin je reste au lit encore une fois! L'après-midi je fais mes devoirs dans ma chambre, mais j'écoute mes CD en même temps, bien sûr! Enfin je me couche vers 9h30. Et voilà mon week-end typique!*
>
> *Maryse*

1 **Complétez les phrases en français.**

a) Le week-end Maryse se ....

b) Elle est obligée d'... ses parents aussi.

c) Tous les week-ends elle .... son lit.

d) Quelquefois elle fait le .... et les ....

e) Le samedi après-midi Maryse et ses amis .... en ville.

f) Ils .... un chocolat chaud au café.

g) Le soir elle accompagne sa .... au cinéma.

h) Le dimanche matin elle .... la grasse matinée. **(8 marks)**

2 **Write an e-mail in French to your French correspondent, asking about his/her weekend routine. Use the text above to guide you, making sure you ask questions such as:**

- What time do you get up on Saturdays?
- What do you have to do at home?
- When do you do your homework?
- Where do you do your homework?
- What else do you do while you're doing it?
- What do you do and where do you go on Saturdays?
- Who do you go with?
- And what about Sunday morning and afternoon?
- When do you go to bed?
- What do you think of your weekend routine? **(21 marks)**

Score   **/ 29**

For more on this topic see pages 16–19 of your Success Guide.   Total score   **/ 49**

How well did you do?   ✗ **0–15** Try again **16–30** Getting there **31–40** Good work **41–49** Excellent! ✓

School and money 1

A

Choose just one answer: a, b, c or d.

1 Putting 'ne ... pas' around a verb makes it:
a) irregular
b) reflexive
c) negative
d) positive (1 mark)

2 If a verb starts with a vowel, 'ne' becomes:
a) n'ai
b) n'est
c) n'aime
d) n' (1 mark)

3 What word, when used with 'ne', means 'never'?
a) plus
b) jamais
c) personne
d) rien (1 mark)

4 To say 'nothing' you use 'ne ...'
a) rien
b) plus
c) jamais
d) personne (1 mark)

5 'No one' in French is 'ne ...'
a) jamais
b) rien
c) personne
d) plus (1 mark)

Score   / 5

B

Answer all parts of all questions.

1 Name these places in a French school. Write them in English.

a) .... | CENTRE SPORTIF |

b) .... | SALLE DES PROFESSEURS |

c) .... | BIBLIOTHEQUE |

d) .... | LABORATOIRES DE SCIENCES |

e) .... | SALLES DE CLASSE |

(5 marks)

2 Write the French for the following school subjects.

a) ....

b) ....

c) ....

d) ....

e) ....

(5 marks)

Score   / 10

C These are GCSE-style questions. Answer all parts of the questions. Continue on separate paper where necessary.

Read this text about a school in France.

> **Au collège Jean Racine**
>
> *Je vais à un petit collège dans le nord-ouest de la France, près de Nantes. Il y a environ trois cents élèves. C'est assez vieux comme collège mais je trouve qu'il est joli comme bâtiment. Il y a un grand centre sportif avec une piscine, et on a aussi une salle de théâtre pour les cours d'art dramatique, et une salle d'informatique très moderne. Quant aux profs, il y en a environ vingt.*
>
> *J'aime bien mon collège parce que j'ai beaucoup d'amis qui y vont aussi, et j'aime bien aller en cours.*
>
> *Simon, 15 ans*

• Nantes

• Bordeaux

1 **Answer the questions in English.**

a) Give two details about the size and location of Simon's school.

....

b) How many pupils attend the school?

....

c) What does he think of the school building?

....

d) What modern feature of the school does he mention?

.... **(5 marks)**

2 **Write about your school to your French correspondent. Include the following information:**

- size of the school
- what the buildings are like
- numbers of pupils who attend
- special facilities or features (at least three details)
- number of teachers at the school
- what you like best about it
- overall, why you like or don't like it.

(20 marks)

Score   / 25

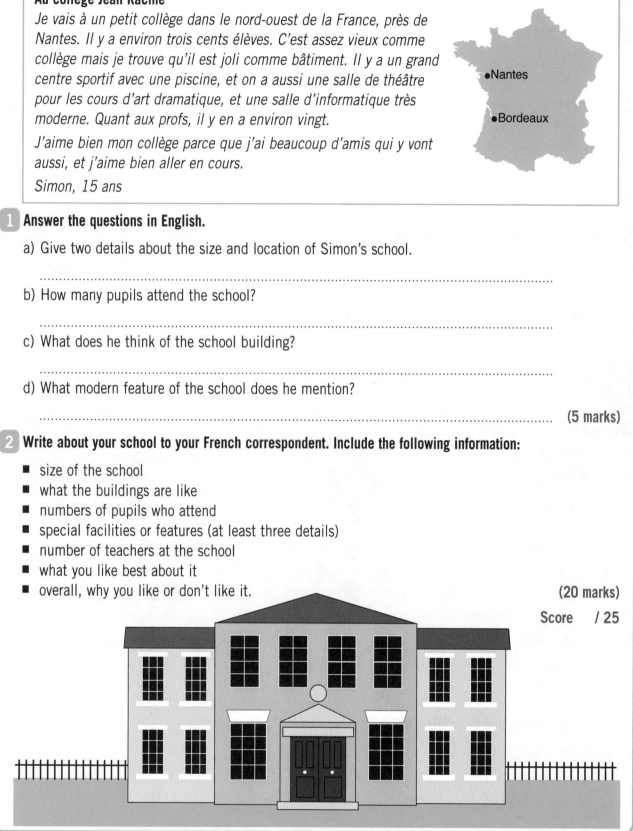

For more on this topic see pages 20–23 of your Success Guide.

Total score   / 40

School and money 2

A

Choose just one answer: a, b, c or d.

1 **Which of these words means 'Spanish'?**
a) allemand   b) anglais
c) français   d) espagnol   **(1 mark)**

2 **The two plural subjects in French are 'les maths' and 'les…'**
a) anglais
b) sciences
c) français
d) ÉPS   **(1 mark)**

3 **Which of these school subjects follows l'?**
a) technologie
b) musique
c) informatique
d) dessin   **(1 mark)**

4 **Another word for 'art dramatique' is:**
a) dessin
b) musique
c) histoire
d) théâtre   **(1 mark)**

5 **'Les sciences' consist of 'la biologie', 'la physique' and …**
a) la chimie
b) la cuisine
c) la technologie
d) les maths   **(1 mark)**

Score   / 5

B

Answer all parts of the question.

1 **Look at these drawings.**

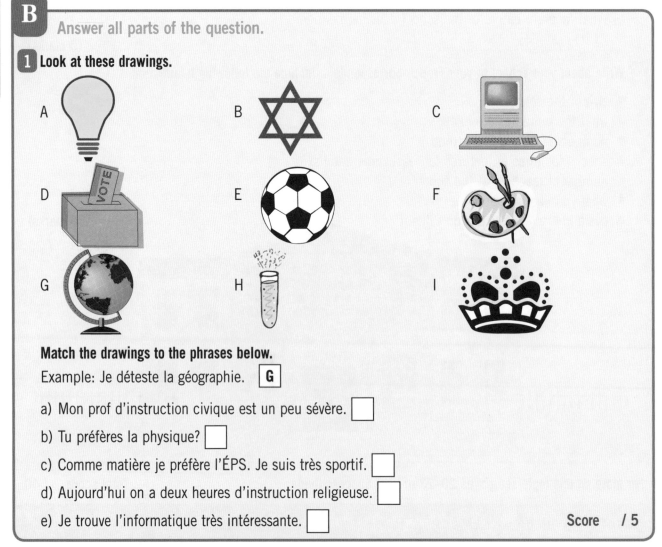

A   B   C   D   E   F   G   H   I

Match the drawings to the phrases below.

Example: Je déteste la géographie.   **G**

a) Mon prof d'instruction civique est un peu sévère. ☐

b) Tu préfères la physique? ☐

c) Comme matière je préfère l'ÉPS. Je suis très sportif. ☐

d) Aujourd'hui on a deux heures d'instruction religieuse. ☐

e) Je trouve l'informatique très intéressante. ☐

Score   / 5

C   These are GCSE-style questions. Answer all parts of the questions. Continue on separate paper where necessary.

Lisez le texte.

> ### À mon avis
>
> *J'aime bien aller au collège mais, comme je dois faire neuf matières, je trouve que la journée scolaire est trop longue. On commence tôt le matin – à partir de 8h00 – et les cours ne se terminent qu'à 16h45. Pourquoi faire autant de matières? En plus, les profs nous donnent beaucoup de devoirs tous les jours. Je ne dis pas que ce soit une mauvaise chose, les devoirs, parce que ça aide à faire comprendre les maths, les langues, enfin toutes les matières sur l'emploi du temps. Le problème, c'est qu'on rentre en fin d'après-midi bien fatigué, on a besoin donc de se reposer un peu. Ensuite, après le repas du soir, il faut recommencer à travailler – au moins encore deux heures de devoirs. Ce n'est pas raisonnable, en fin de compte!*
>
> *La plupart des profs sont sympas et les cours sont intéressants. Il y en a quand même que je trouve ennuyeux, et certains profs sont franchement trop sévères. Par contre, mon prof d'histoire est génial, même s'il nous donne trop de contrôles.*
>
> *Tina, 16 ans*

1 Écrivez **V** (vrai), **F** (faux), ou **?** (on ne sait pas) à côté de chaque phrase.

a) Tina est mécontente de sa journée scolaire. ☐

b) Elle préférerait faire plus de matières. ☐

c) Elle est en faveur des devoirs malgré la longueur de la journée scolaire. ☐

d) Elle trouve ses profs de sciences et maths ennuyeux. ☐

e) Elle aimerait l'histoire d'autant plus s'il y avait moins de contrôles. ☐

f) En gros, elle apprécie bien son collège et ses profs. ☐   **(6 marks)**

2 Écrivez un article sur votre collège, intitulé 'Le collège et moi'. Mentionnez:

- la journée scolaire
- l'emploi du temps
- les matières que vous faites
- vos matières préférées
- vos professeurs préférés
- ce que vous n'appréciez pas au collège
- comment vous trouvez le collège en général.   **(24 marks)**

Score   / 30

For more on this topic see pages 20–23 of your Success Guide.   Total score   / 40

How well did you do?   ✗ 0–12 **Try again**   13–20 **Getting there**   21–30 **Good work**   31–40 **Excellent!** ✓

School and money 3

A

Choose just one answer: a, b, c or d.

1 Complete this statement to make a daily part-time job: 'Je distribue des ...'
a) CD
b) jeux électroniques
c) journaux
d) vêtements   (1 mark)

2 'Boulot' is a slang word meaning:
a) pay
b) work/job
c) pocket money
d) unemployment   (1 mark)

3 When talking about earnings, instead of 'je gagne' you can use: 'je ...'
a) paie   b) prends
c) travaille   d) reçois   (1 mark)

4 'Un petit travail' means:
a) a part-time job
b) low pay
c) a small employer
d) a small company   (1 mark)

5 Choose the right word to say where this person works: 'Je travaille .... une boulangerie.'
a) dans
b) chez
c) à
d) de   (1 mark)

Score   / 5

B

Answer all parts of the question.

1 Use the drawings to complete the sentences about part-time work.

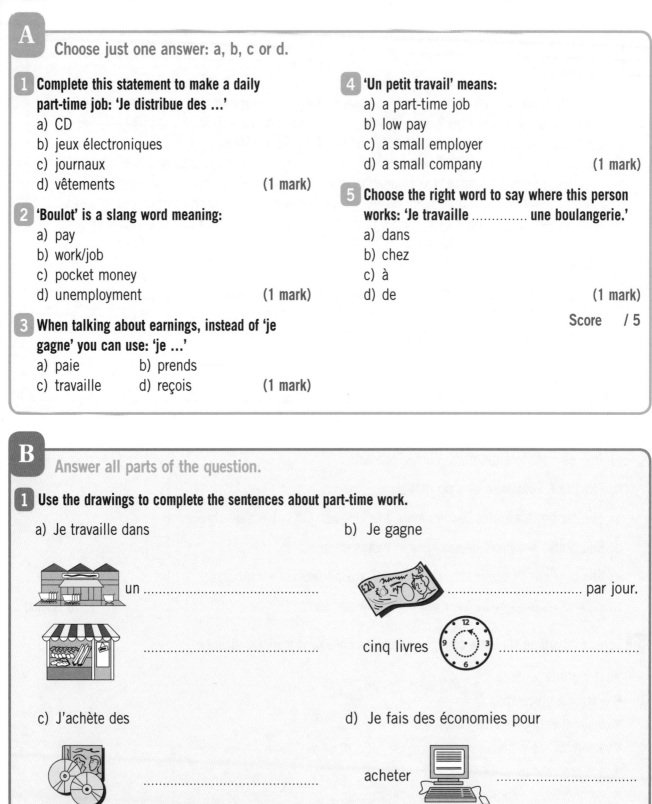

a) Je travaille dans

un ....

....

b) Je gagne

.... par jour.

cinq livres ....

c) J'achète des

....

....

....

d) Je fais des économies pour

acheter ....

acheter ....

les ....

Score   / 10

C These are GCSE-style questions. Answer all parts of the questions. Continue on separate paper where necessary.

Lisez le texte.

Noa et le boulot

Comme je ne reçois pas d'argent de poche j'ai décidé de gagner de l'argent tout seul, en faisant beaucoup de petits emplois. D'abord j'ai demandé aux voisins si je pouvais leur garder les enfants le soir ou le week-end. À huit euros par heure le babysitting serait bien facile, n'est-ce pas? Mais non, ça n'a pas marché parce que je me suis mal entendu avec les enfants. Mauvaise idée!

Heureusement j'ai vite trouvé un emploi au supermarché. D'abord j'ai dû ranger les rayons. C'était fatigant et ennuyeux, mais c'était bien payé alors ce n'était pas mal. Malheureusement on m'a demandé de travailler à la caisse aussi, ce que je n'ai pas apprécié du tout. Il y avait toujours trop de clients et je n'avais jamais le temps de me reposer. C'était affreux! J'ai quitté le supermarché et maintenant je cherche du travail au camping municipal. Cet été ils vont embaucher* des moniteurs pour animer les activités des enfants des campeurs. Je suis sûr que ça me plaira. En plus on reçoit beaucoup d'argent et on est en vacances! C'est la solution parfaite à mes problèmes financiers!

Noa, 17 ans

*embaucher = to employ, take on

1 Identifiez les opinions de Noa. Écrivez **P** (positive), **N** (négative), ou **P/N** (positive et négative) dans les cases.

a) les enfants des voisins ☐

b) le babysitting comme boulot ☐

c) le travail dans les rayons du supermarché ☐

d) le travail d'un caissier ☐

e) le travail d'un moniteur au camping ☐   **(5 marks)**

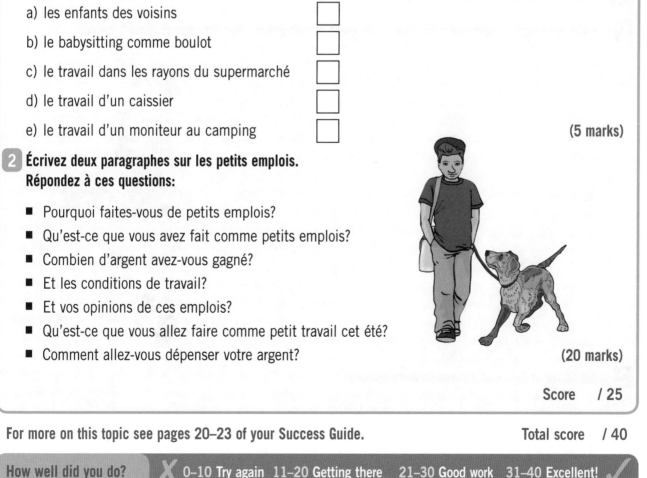

2 Écrivez deux paragraphes sur les petits emplois.
Répondez à ces questions:

- Pourquoi faites-vous de petits emplois?
- Qu'est-ce que vous avez fait comme petits emplois?
- Combien d'argent avez-vous gagné?
- Et les conditions de travail?
- Et vos opinions de ces emplois?
- Qu'est-ce que vous allez faire comme petit travail cet été?
- Comment allez-vous dépenser votre argent?   **(20 marks)**

Score   / 25

For more on this topic see pages 20–23 of your Success Guide.   Total score   / 40

How well did you do?   ✗ 0–10 **Try again**   11–20 **Getting there**   21–30 **Good work**   31–40 **Excellent!** ✓

Descriptions 1

A

Choose just one answer: a, b, c or d.

1 Most adjectives in French come:
a) after the verb
b) after the noun
c) before the noun
d) before the verb   **(1 mark)**

2 Adjectives show their agreement with nouns by their:
a) meaning
b) position
c) ending
d) meaning and position   **(1 mark)**

3 Fill in the missing possessive adjective:
'J'aime bien .... sœur.'
a) mes   b) ma
c) mon   d) ton   **(1 mark)**

4 Complete the description:
'Elle a les cheveux longs et ...'
a) raides
b) frisé
c) courts
d) blond   **(1 mark)**

5 Choose the right adjective of colour for this description: 'J'ai les yeux ...'
a) bleues
b) vert
c) noir
d) marron   **(1 mark)**

Score   / 5

B

Answer all parts of all questions.

1 Use the drawings to help you complete these pairs of adjectives. The first one is done for you.

a) Petit   + Grand

b) B.................................   + M.................................

c) N.................................   + V.................................

d) G.................................   + B.................................

e) J.................................   + J.................................   **(8 marks)**

2 What do all of these adjectives have in common?

....
....   **(2 marks)**

Score   / 10

24

C These are GCSE-style questions. Answer all parts of the questions. Continue on separate paper where necessary.

Vous lisez cet article dans un journal.

Portrait d'une jeune vedette

Nom:	Amélie Leforestier
Date de naissance:	15 décembre 1986
Famille:	Ses parents n'habitent plus ensemble donc elle habite avec son père et Lucie, sa sœur aînée, à Tours. Son frère aîné est marié, et il habite à Paris.
Description:	Amélie mesure 1m 65. Elle a les cheveux longs, raides et blonds et les yeux verts. Pleine de vie et très bavarde, c'est une fille intelligente et ambitieuse.
Ambition:	Amélie voudrait être vedette de cinéma.

1 Choisissez les bons mots pour finir chaque phrase. Cochez ✔ la bonne case.

a) Amélie est née en …
   i) ☐ été
   ii) ☐ hiver
   iii) ☐ automne

b) Ses parents sont …
   i) ☐ vieux
   ii) ☐ ensemble
   iii) ☐ séparés

c) Sa sœur est …
   i) ☐ moins âgée qu'elle
   ii) ☐ plus grande qu'elle
   iii) ☐ plus âgée qu'elle

d) Amélie est une …
   i) ☐ brune
   ii) ☐ rousse
   iii) ☐ blonde

e) Elle est très …
   i) ☐ vive
   ii) ☐ pleine
   iii) ☐ timide

(5 marks)

2 Produce a similar portrait of your own – real or imaginary. Remember to talk about yourself in the third person ('il'/'elle'). Include details of:

- name
- birth date
- family (with some descriptions)
- appearance and personality
- ambition.

(20 marks)

Score   / 25

For more on this topic see pages 24–27 of your Success Guide.   Total score   / 40

How well did you do? ✗ 0–12 **Try again**   13–20 **Getting there**   21–30 **Good work**   31–40 **Excellent!** ✔

Descriptions 2

A

Choose just one answer: a, b, c or d.

1 Someone you describe as 'casse-pieds' is:
a) injured
b) athletic
c) annoying
d) nervous **(1 mark)**

2 'Chômeur' describes someone who is:
a) a cashier
b) unemployed
c) a lorry driver
d) a secretary **(1 mark)**

3 What is the feminine plural of the adjective meaning 'kind'?
a) gentils
b) gentille
c) gentil
d) gentilles **(1 mark)**

4 Choose the correct adjective to complete the sentence: 'Ma mère est ...'
a) galloise
b) vietnamien
c) grec
d) écossais **(1 mark)**

5 If 'avec moi' means 'with me', how do you say 'before him'?
a) avant toi
b) après lui
c) après moi
d) avant lui **(1 mark)**

Score / 5

B

Answer all parts of the question.

1 Look at these drawings.

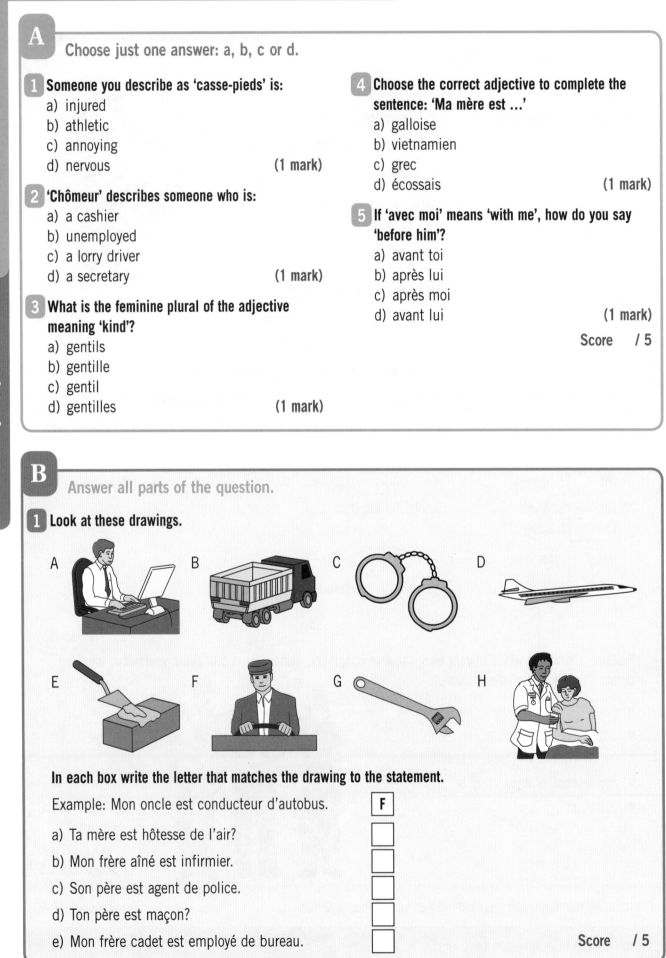

In each box write the letter that matches the drawing to the statement.

Example: Mon oncle est conducteur d'autobus. **F**

a) Ta mère est hôtesse de l'air? ☐

b) Mon frère aîné est infirmier. ☐

c) Son père est agent de police. ☐

d) Ton père est maçon? ☐

e) Mon frère cadet est employé de bureau. ☐ Score / 5

C

These are GCSE-style questions. Answer all parts of the questions. Continue on separate paper where necessary.

Lisez ces courriers.

Les copains de classe

A:	Je m'entends bien avec beaucoup de gens dans ma classe. Mon meilleur ami s'appelle Simon. Il est plus âgé que moi mais il a les mêmes intérêts que moi: on est sportif, tous les deux. Lui, il est bavard et vif et très généreux. Marc
B:	Je n'ai pas beaucoup de copains dans ma classe – je les trouve un peu idiots et casse-pieds. J'aime bien quelques-uns mais ma meilleure amie n'est pas dans ma classe. Elle est moins âgée que moi. Elle est grande et mince et très intelligente. Mais elle a beaucoup d'humour aussi, et elle est très populaire. Aline
C:	Je m'amuse bien en classe avec mes copains. Ils sont sympas quant à la plupart – il n'y en a que quelques-uns qui sont égoïstes et bêtes. Maura
D:	J'ai peu de copains dans ma classe, parce qu'ils sont moins âgés que moi. Mon vrai copain, qui s'appelle Antonin, est intelligent et travailleur. En plus, comme moi, il n'est pas du tout sportif. Antoine
E:	J'ai beaucoup de copains et copines dans ma classe. Il y en a qui sont bruyants et paresseux, mais ils ne sont pas casse-pieds et ils s'entendent bien avec les profs. Sébastien

1 **Écrivez la bonne lettre dans la case.**

a) Qui est plus âgé que ses camarades de classe? ☐

b) Qui trouve que ses camarades de classe sont sympathiques même s'ils ne sont pas tous travailleurs et sages? ☐

c) Qui n'apprécie pas la plupart de ses camarades de classe? ☐

d) Qui travaille dur et n'aime pas les sports comme son copain? ☐

e) Qui a une copine drôle? ☐

f) Qui a quelques camarades de classe qui sont idiots et pas du tout généreux? ☐

g) Qui est plus jeune que son meilleur copain mais s'intéresse aux sports comme lui? ☐

(7 marks)

2 **Write an e-mail of about 30 words in French to your French correspondent about your classmates. Talk about:**

- how you get on with most of them
- your best friend and why you get on so well
- the classmates who annoy you and why.

(12 marks)

Score   / 19

For more on this topic see pages 24–27 of your Success Guide.   Total score   / 29

How well did you do?   ✗ 0–8 **Try again**   9–15 **Getting there**   16–21 **Good work**   22–29 **Excellent!** ✓

Getting about 1

A
Choose just one answer: a, b, c or d.

1 'Un', 'une' and 'des' are known as:
a) prepositions   b) definite articles
c) pronouns   d) indefinite articles **(1 mark)**

2 Find the missing definite article:
'................. magasins'.
a) le   b) la
c) les   d) l'   **(1 mark)**

3 In 'l'hôpital' the definite article is:
a) masculine plural
b) feminine singular
c) feminine plural
d) masculine singular   **(1 mark)**

4 Words that tell you where someone or something is, are called:
a) prepositions
b) pronouns
c) adverbs
d) verbs   **(1 mark)**

5 Complete the phrase: '................. taxi'.
a) sur
b) à
c) en
d) dans   **(1 mark)**

Score   / 5

B
Answer all parts of all questions.

1 Write down the French for these phrases.

a) in Paris = ...

b) at midday = ...

c) behind the post office = ...

d) at the station = ...

e) on the Bordeaux road = ... **(5 marks)**

2 Find the right prepositions to say where people have agreed to meet.

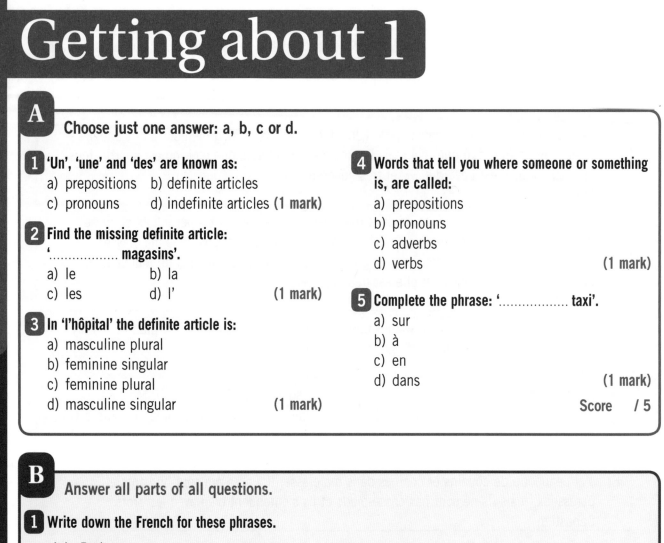

a) .... b) ....

c) .... d) ....

e) .... **(5 marks)**

Score   / 10

C These are GCSE-style questions. Answer all parts of the questions. Continue on separate paper where necessary.

Lisez le texte.

> **En ville**
>
> *J'habite dans la banlieue, alors je dois prendre le bus pour aller au collège et pour aller au centre-ville, surtout le week-end. Je n'aime pas y aller à vélo à cause de la circulation. Je trouve que c'est dangereux, même sur les pistes cyclables, et en plus il y a trop de pollution, à cause des voitures et camions qui roulent en ville tout le temps. Pour arriver en plein centre-ville il faut compter au moins vingt minutes en bus.*
>
> *Une fois arrivé en ville on a un grand choix de distractions, visites, monuments et, bien sûr, de magasins. Il y a deux grands centres commerciaux avec des restaurants et des cafés partout. Il y a beaucoup à faire jour et nuit pour les jeunes – des concerts, des théâtres, des cinémas, des boîtes. Pour les sportifs il y a les stades, les piscines et la patinoire. Pour les amateurs de la nature il y a les grands espaces verts, où on peut faire des randonnées pédestres ou tout simplement apprécier la beauté de la campagne.*
>
> *J'adore ma ville. Elle est grande mais elle a une ambiance extraordinaire.*
>
> *Seydi, 17 ans*

1 Écrivez **V** (vrai), **F** (faux), ou **?** (on ne sait pas) à côté de chaque phrase.

a) Seydi habite à trois kilomètres du centre-ville.

b) Il n'y va en bus que le week-end.

c) Les routes sont dangereuses parce qu'il manque des pistes cyclables.

d) À son avis trop de véhicules circulent au centre-ville.

e) Le trajet en bus dure plus d'un quart d'heure.

f) Il n'y a pas grand-chose à faire en ville.

g) Les centres commerciaux sont situés l'un en face de l'autre.

h) Les jeunes ont la possibilité de se distraire en ville tout le temps.

i) Il n'y a ni parcs ni jardins publics en ville.

j) Seydi apprécie en particulier l'atmosphère de la ville.

(10 marks)

2 Write an article of about 80 words in French on the town/village where you live, including comments on:

- ■ travel and transport into town
- ■ the size of the town centre
- ■ the kind of facilities it offers
- ■ what there is for young people
- ■ what you think of it overall.

(20 marks)

Score   / 30

For more on this topic see pages 30–33 of your Success Guide.   Total score   / 45

How well did you do?   ✗ 0–15 **Try again**   16-25 **Getting there**   26–35 **Good work**   36–45 **Excellent!** ✓

Getting about 2

A Choose just one answer: a, b, c or d.

1 Complete the question about going on holiday:
'Tu .... en vacances?'
a) partez
b) fais
c) faites
d) pars   **(1 mark)**

2 'Je vais à la mer.' This person is going to the:
a) countryside
b) seaside
c) mountains
d) town centre   **(1 mark)**

3 Complete the sentence logically:
'Dans les Alpes il y a ...'
a) la plage
b) le ski
c) la mer
d) les boîtes   **(1 mark)**

4 Choose the correct preposition:
'Je vais .... Danemark.'
a) en
b) à l'
c) aux
d) au   **(1 mark)**

5 Complete this sentence with the correct
preposition: '................. Provence
il y a le soleil.'
a) en
b) au
c) à la
d) dans   **(1 mark)**

Score   / 5

B Answer all parts of the question.

1 Following the example, use the drawings to help you write down how you'll get to your holiday destination.

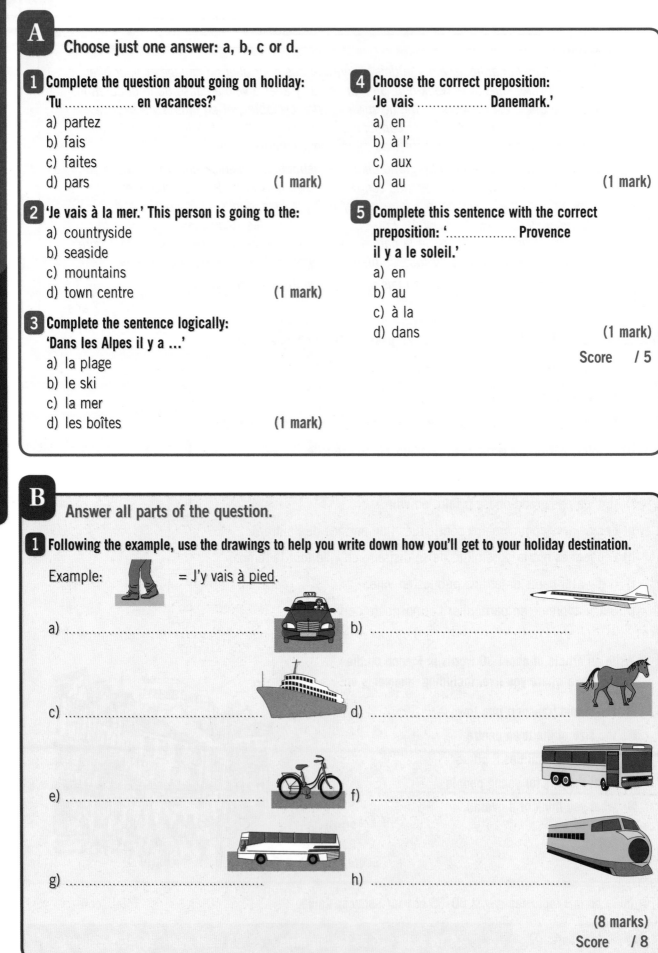

Example: = J'y vais <u>à pied</u>.

a) ....

b) ....

c) ....

d) ....

e) ....

f) ....

g) ....

h) ....

(8 marks)
Score   / 8

C

These are GCSE-style questions. Answer all parts of the questions. Continue on separate paper where necessary.

Lisez le texte.

Les trois voyages de Jules

L'été dernier je suis parti en vacances. J'ai passé 15 jours en Corse avec mes parents. Nous avons pris l'avion de Marseille et nous avons loué un appartement à Ajaccio. C'était super! Il a fait très chaud tout le temps. En ville il y avait beaucoup à faire pour tout le monde.

Puis à Pâques je suis parti en Bretagne avec les copains. On a fait du camping près de Quimper. Mon copain Laurent nous a emmenés en voiture. La campagne était superbe, et le camping était bien aussi. Malheureusement il a plu et il a fait froid la nuit et le matin. En plus il n'y avait pas grand-chose à faire pour les jeunes. Il y avait le port, les visites guidées et les promenades à cheval, mais comme il faisait froid on n'a pas beaucoup nagé!

Et cet été? J'espère partir en vacances encore une fois avec mon frère. On s'en va au début du mois de juin en Espagne. On va prendre le train, parce que ça coûte moins cher. Il y aura les plages le jour, puis le soir on ira dans les boîtes et les cafés. Qu'est-ce qu'on va s'amuser!

---

1 Écrivez les bons détails dans les cases.

	Quand?	Où?	Avec qui?	Comment?
1er voyage	l'	en	avec ses	en ....
2ème voyage	....	....	....	....
3ème voyage	....	....	....	....

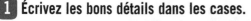

(12 marks)

2 **Write about 80 words in French about your holidays last year OR what will you be doing this year.**

Remember to talk about where you went/will be going, when, with whom and how you travelled/will travel. Talk about holiday activities and include some opinions. **(20 marks)**

Score   / 32

For more on this topic see pages 30–33 of your Success Guide.   Total score   / 45

How well did you do?   ✗ **0–15 Try again   16–25 Getting there   26–35 Good work   36–45 Excellent!** ✓

Leisure, hobbies and sports 1

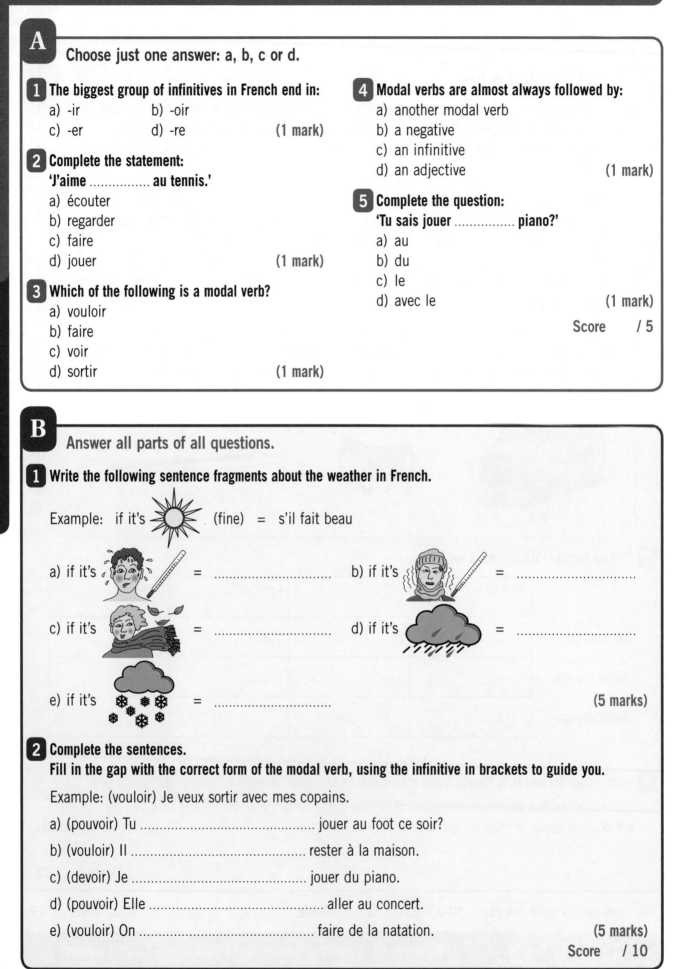

A Choose just one answer: a, b, c or d.

1 The biggest group of infinitives in French end in:
a) -ir   b) -oir
c) -er   d) -re   (1 mark)

2 Complete the statement:
'J'aime .... au tennis.'
a) écouter
b) regarder
c) faire
d) jouer   (1 mark)

3 Which of the following is a modal verb?
a) vouloir
b) faire
c) voir
d) sortir   (1 mark)

4 Modal verbs are almost always followed by:
a) another modal verb
b) a negative
c) an infinitive
d) an adjective   (1 mark)

5 Complete the question:
'Tu sais jouer .... piano?'
a) au
b) du
c) le
d) avec le   (1 mark)

Score   / 5

B Answer all parts of all questions.

1 Write the following sentence fragments about the weather in French.

Example: if it's ☀ (fine) = s'il fait beau

a) if it's .... = ...   b) if it's .... = ...

c) if it's .... = ...   d) if it's .... = ...

e) if it's .... = ...   (5 marks)

2 Complete the sentences.
Fill in the gap with the correct form of the modal verb, using the infinitive in brackets to guide you.

Example: (vouloir) Je veux sortir avec mes copains.

a) (pouvoir) Tu .... jouer au foot ce soir?

b) (vouloir) Il .... rester à la maison.

c) (devoir) Je .... jouer du piano.

d) (pouvoir) Elle .... aller au concert.

e) (vouloir) On .... faire de la natation.   (5 marks)

Score   / 10

C

These are GCSE-style questions. Answer all parts of the questions. Continue on separate paper where necessary.

Lisez le texte.

Mes loisirs

Si j'ai du temps libre, je n'aime pas rester à la maison. Je préfère sortir avec mes copains. Normalement ils veulent aller en ville manger une glace ou aller au cinéma. Quelquefois, s'il fait beau, on peut faire du cheval à la campagne. À part ça, j'adore faire de la natation à la piscine ou de préférence à la mer. J'aime faire de la musique aussi. Je joue de la guitare tous les soirs, mais d'abord je dois finir mes devoirs. On ne peut pas toujours faire comme on veut!

Lise, 16 ans

1 Complétez chaque phrase avec un mot français de la liste.

s'amuser	nager	faire	est	a	veut	l'équitation

a) Lise sort si elle .... du temps libre.

b) Elle préfère .... avec ses copains.

c) De temps en temps, s'il ne fait pas mauvais, ils peuvent faire de ....

d) Lise adore .... aussi, surtout dans la mer.

e) Avant de jouer de la guitare le soir elle est obligée de .... ses devoirs.   **(5 marks)**

2 Lisez ce mail, puis répondez à toutes les questions.
Écrivez environ **80 mots en français**.

Salut!

Qu'est-ce que tu fais comme loisirs? Tu aimes faire quelque chose à la maison ou tu préfères sortir? Qu'est-ce que tu aimes faire comme sports? Tu sais jouer d'un instrument musical? Quand est-ce que tu dois faire tes devoirs?

Et tes copains? Qu'est-ce qu'ils aiment faire s'ils ont du temps libre?

Écris-moi bientôt!

(20 marks)

Score   / 25

For more on this topic see pages 34–37 of your Success Guide.   Total score   / 40

How well did you do?   ✗ 0–11 **Try again** 12–20 **Getting there**   21–30 **Good work**   31–40 **Excellent!** ✓

Leisure, hobbies and sports 2

A

Choose just one answer: a, b, c or d.

1 Which modal verb means 'to be able to'?
a) savoir
b) pouvoir
c) devoir
d) vouloir   (1 mark)

2 Which verb completes this expression:
'................ de la gymnastique'?
a) jouer
b) aller
c) faire
d) sortir   (1 mark)

3 Complete the sentence with the correct infinitive:
'J'aime .... des e-mails.'
a) sortir
b) faire
c) chanter
d) envoyer   (1 mark)

4 How do you say 'to climb mountains'?
a) faire de l'alpinisme
b) faire de l'athlétisme
c) faire du cyclisme
d) faire du ski nautique   (1 mark)

5 'Je ne veux pas' means:
a) I'm unable to
b) I don't know how to
c) I don't have to
d) I don't want to   (1 mark)

Score   / 5

B

Answer all parts of the question.

1 Write down the infinitive expressions for each of the drawings.

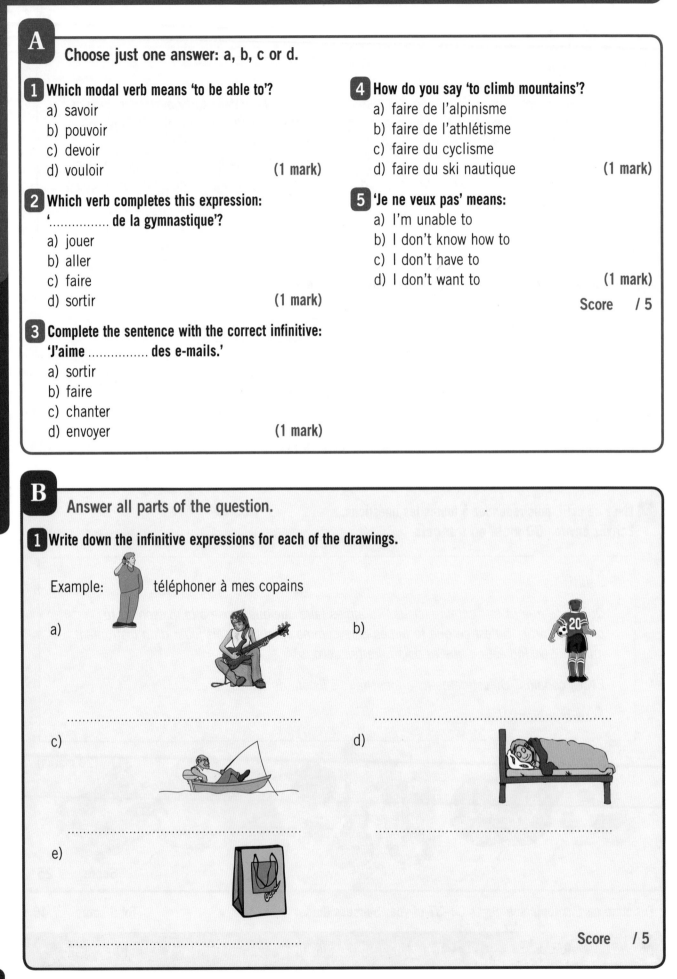

Example: téléphoner à mes copains

a)

b)

....

....

c)

d)

....

....

e)

....

Score   / 5

34

C

This is a GCSE-style question. Answer all parts of the question. Continue on separate paper where necessary.

Lisez les textes.

Mes loisirs: après les cours et le week-end

A: *Je préfère sortir le week-end car les profs nous donnent trop de devoirs les jours de la semaine. Alors, le soir je dois travailler pendant deux heures au moins. Ensuite je peux regarder la télé un peu ou bien lire mes magazines et écouter mes CD dans ma chambre. Samedi prochain on va voir le match au stade. Puis, samedi soir on pourra peut-être aller au cinéma – ça dépend des films qu'on passe en ce moment.*
Béatrice

B: *Tout de suite après les cours je ne fais pas grand-chose avec les copains. Ce n'est pas le moment. Tout le monde doit rentrer, faire les devoirs ou bien la cuisine. Cela m'est égal parce que j'adore faire la cuisine. Le soir, après les devoirs, j'aime bien envoyer des mails à mes copains et mes correspondants anglais et allemands. Le week-end j'aime faire du sport. Ce week-end par exemple, je vais participer au tournoi de volley.*
Caroline

C: *Je ne suis pas tellement sportif, alors je n'aime pas faire du sport, ni le soir ni le week-end. Pourtant je consacre tout mon temps libre à l'ordinateur. J'aime inventer des jeux électroniques et j'espère devenir un jour opérateur sur ordinateur. Après les cours je fais mes devoirs – avec l'ordinateur, bien sûr! Et ce week-end je vais acheter des jeux électroniques. Ça me donnera des idées peut-être pour mes propres projets.*
Damien

D: *Sortir le soir ne me dit pas grand-chose. Je préfère faire quelque chose d'intéressant le week-end, quand je ne me sens pas trop fatiguée à cause des cours et des devoirs qu'on nous donne. Par exemple, ce week-end je vais faire du shopping avec ma copine. On va aller au centre commercial neuf au centre-ville. On peut trouver tout là-dedans! Puis dimanche matin on va visiter Futuroscope. J'adore ça! Qu'est-ce qu'on va rire!*
Elsa

1 Écrivez la bonne lettre (A, B, C ou D) dans la case.

a) Qui ne veut pas faire du sport? ☐

b) Qui aime faire des achats le week-end avec son amie? ☐

c) Qui est fanatique de l'informatique? ☐

d) Qui aime contacter ses amis le soir? ☐

e) Qui verra jouer son équipe ce week-end? ☐

f) Qui fera du sport ce week-end? ☐

g) Qui s'amuse toute seule après avoir fini ses devoirs? ☐

Score / 7

For more on this topic see pages 34–37 of your Success Guide.

Total score / 17

How well did you do?   ✗ 0–4 Try again   5–9 Getting there   10–13 Good work   14–17 Excellent! ✓

Where did you go...

A

Choose just one answer: a, b, c or d.

1 How many parts does the perfect tense have?
- a) four
- b) one
- c) two
- d) three   (1 mark)

2 Both 'avoir' and 'être' are used as .... verbs in the perfect tense.
- a) regular
- b) reflexive
- c) impersonal
- d) auxiliary   (1 mark)

3 Most past participles in French end in:
- a) -u
- b) -i
- c) -t
- d) -é   (1 mark)

4 Past participles of regular verbs come from:
- a) the present tense
- b) the infinitive
- c) adjectives
- d) nouns   (1 mark)

5 To make a perfect tense verb negative you put 'ne ... pas':
- a) before the auxiliary
- b) around the subject
- c) after the subject
- d) around the auxiliary   (1 mark)

Score   / 5

B

Answer all parts of all questions.

1 Write down 12 verbs which form the perfect tense with 'être', using this sentence to jog your memory with the first letter of each verb.

'**R**ester' **A**part, **N**early **A**ll **P**erfect **T**ense **Ê**tre **V**erbs **D**escribe **S**ome **M**ovement, **M**otion

R.......................... A.......................... N.......................... A..........................

P.......................... T.......................... E.......................... V..........................

D.......................... S.......................... M.......................... M..........................

(12 marks)

2 Use the drawing to help you write down the two other sports this boy has played.

Example: Il a joué au ping-pong.

a) Il ....

b) Il ....

Now choose the correct sentence from the box to describe what has happened in this drawing.

c) Il ....

(3 marks)

Il est monté.	Il est parti.
Il est descendu.	Il est sorti.

Score   / 15

C These are GCSE-style questions. Answer all parts of the questions. Continue on separate paper where necessary.

Lisez le texte.

Mon week-end

Salut!

J'ai passé un bon week-end chez ma copine Sara, qui habite à Tours. J'y suis allée vendredi soir en train tout de suite après les cours, car c'est bien loin. On a passé toute la soirée à bavarder, en écoutant de la musique dans sa chambre. On a envoyé des centaines de mails à tous nos copains aussi!

Samedi matin on a fait la grasse matinée – je me suis levée à 10h30! Après avoir déjeuné nous sommes allées en ville chercher des vêtements et des cadeaux de Noël. Sara a acheté une jupe et deux pulls très chics et moi, j'ai acheté un jean et des chaussures. Dans l'après-midi on a rencontré les copines de Sara alors on n'a pas eu le temps de trouver des cadeaux. Tant pis! On avait faim, on est donc allé au restaurant. C'était super comme ambiance et les plats italiens étaient délicieux. Enfin, nous sommes rentrées bien fatiguées en fin d'après-midi. On n'est même pas sorti samedi soir – on s'est couché à 9h30. Je suis rentrée dimanche matin, car il y avait pas mal de devoirs à faire. Mais quel week-end! Et ton week-end?

Écris-moi bientôt!

Sophie

---

1 Cochez ✔ les cinq phrases correctes.

Exemple: Sophie parle de son week-end. ✔

a) Sophie habite à Tours. ☐

b) Sara a un ordinateur dans sa chambre. ☐

c) Sophie est restée au lit jusqu'à dix heures et demie samedi matin. ☐

d) Sophie s'est payé une jupe. ☐

e) Elle a fait la connaissance des copines de Sara. ☐

f) Elle a beaucoup apprécié l'atmosphère et la nourriture du restaurant. ☐

g) Elle a dû rentrer tôt dimanche à cause de ses devoirs. ☐ (5 marks)

2 Écrivez un mail d'environ **80 mots en français**, intitulé 'Mon week-end'. Mentionnez:

- où vous êtes allé et avec qui
- ce que vous avez fait
- comment vous avez trouvé le week-end. (25 marks)

Score / 30

For more on this topic see pages 38–41 of your Success Guide. Total score / 50

How well did you do? ✗ 0–15 Try again 16–25 Getting there 26–35 Good work 36–50 Excellent! ✓

Where did you go...

A

Choose just one answer: a, b, c or d.

1 Complete the sentence with the correct past participle: 'Elle s'est .... tôt.'
a) habillé   b) ennuyés
c) levée   d) amusées   **(1 mark)**

2 Find the correct past participle:
'Les filles sont .... à midi.'
a) arrivée   b) arrivés
c) arrivé   d) arrivées   **(1 mark)**

3 Complete the sentence:
'Hier soir on a .... des magazines.'
a) lu   b) écouté
c) écrit   d) joué   **(1 mark)**

4 Now complete this one:
'Elle a .... du camping.'
a) dit
b) fait
c) pris
d) écrit   **(1 mark)**

5 To say 'at first' in French you use:
a) puis
b) ensuite
c) enfin
d) d'abord   **(1 mark)**

Score   / 5

B

Answer all parts of the question.

1 Using the drawings, fill in the missing words to make four sentences in the perfect tense, saying what you have done.

a) J'ai .... la télé avec mes copains.

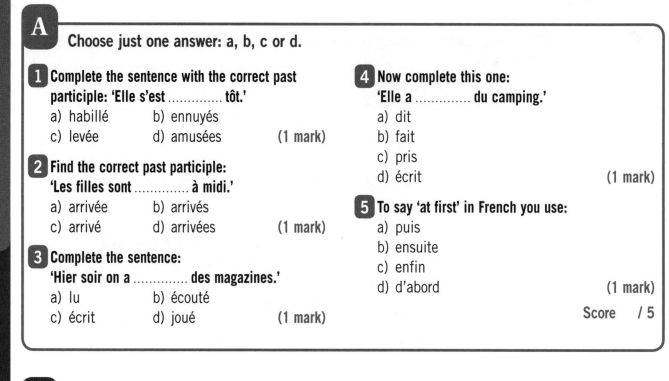

b) .... avec ....

c) Je .... au ....

d) .... du ....

Score   / 10

38

... and what did you do? 2

C These are GCSE-style questions. Answer all parts of the questions.
Continue on separate paper where necessary.

Whilst on holiday in the Aquitaine region of France you visit a tourist office where you pick up this survey on the region and the reasons for its appeal to holidaymakers. Read through the questions and the alternative answers provided.

SONDAGE: VACANCES EN AQUITAINE

1 Pourquoi avez-vous choisi cette région pour vos grandes vacances?
le temps ☐ la campagne ☐ les plages atlantiques ☐ les gens ☐
[autres: ....]

2 Comment avez-vous voyagé?
en avion ☐ en voiture ☐ en train ☐ [autres: ....]

3 Qui vous a accompagné en vacances en Aquitaine?
personne ☐ ma famille ☐ mes amis ☐ [autres: ....]

4 Vous êtes resté combien de temps dans cette région?
1–8 jours ☐ 9–15 jours ☐ 16–31 jours ☐ [autres: ....]

5 Vous avez …
réservé à l'hôtel ☐ loué un gîte ☐ loué un appartement ☐ fait du camping ☐
[autres: ....]

6 Quelles plages avez-vous visité?
Biarritz ☐ Arcachon ☐ Cap Ferret ☐ Lacanau-Océan ☐ Soulac ☐
[autres: ....]

1 Answer the following questions in English.

a) Name any three of the four reasons given for choosing a holiday in South-West France.
.... (3 marks)

b) What three modes of travel to the region are the surveyors interested in?
.... (3 marks)

c) Apart from booking a hotel, what types of holiday accommodation are mentioned?
.... (3 marks)

d) In addition to being in Aquitaine, what do all the places mentioned in Question 6 have in common?
.... (1 mark)

2 Write about 80 words in French about your last summer holiday – real or imaginary.
Use the information provided in the survey above, if you wish. Include details of:

- how you got there
- what you did
- with whom you went and for how long
- what the weather was like
- your overall impression/opinion.

(25 marks)

Score   / 35

For more on this topic see pages 38–41 of your Success Guide.   Total score   / 50

How well did you do?   ✗ 0–12 Try again 13-25 Getting there 26–35 Good work 36–50 Excellent! ✓

Once upon a time 1

A

Choose just one answer: a, b, c or d.

1 One of the key English words that helps you spot the imperfect tense is:
a) will   b) would
c) was   d) has   **(1 mark)**

2 To form the imperfect tense, start with the
.... form of the present tense.
a) vous
b) nous
c) tu
d) je   **(1 mark)**

3 The only exception to the rule for forming the imperfect tense is the verb:
a) avoir   b) faire
c) aller   d) être   **(1 mark)**

4 You often find the imperfect used alongside another tense – which one?
a) present
b) perfect
c) future
d) pluperfect   **(1 mark)**

5 Complete the expression meaning 'there was/ were': 'il y ...'
a) a
b) aura
c) avait
d) était   **(1 mark)**

Score   / 5

B

Answer all parts of the question.

1 Say what was happening when the Martians landed: put the verbs in brackets into the imperfect tense and use the drawings as a prompt to fill the second gap in each sentence.

a) (regarder) Je regard .... la ....

b) (jouer) Tu .... au ....

c) (distribuer) Il .... des ....

d) (préparer) Elle .... le ....

e) (faire) Ma mère .... la ....

Score   / 10

C

These are GCSE-style questions. Answer all parts of the questions. Continue on separate paper where necessary.

Lisez le texte.

Accident de route

Il était tard – 20h30 déjà. Il pleuvait et il y avait beaucoup de circulation sur l'autoroute. Mon copain Chris était au volant. On passait près de Lyon et je me sentais fatigué après cinq heures de route. On rentrait des vacances en Italie. J'avais envie d'arrêter, mais le ferry allait partir à minuit et on n'avait pas assez d'argent pour payer l'hôtel. Alors on a décidé de continuer.

   Je dormais quand j'ai entendu un bruit terrible. J'ai ouvert les yeux et j'ai vu que le camion devant nous dérapait* dangereusement sur l'autoroute mouillée. Il allait heurter le car qu'il doublait! J'avais peur – je croyais qu'on allait heurter le camion et le car. Heureusement Chris faisait bien attention. Il freinait doucement parce qu'il ne voulait pas déraper lui non plus. Quelle chance! Le camion n'a pas heurté le car mais il s'est renversé en freinant. Le car s'est arrêté, et nous aussi. On est descendu de la voiture pour aller aider le chauffeur du camion. Il n'était pas gravement blessé, alors il a pu sortir du camion. L'ambulance est arrivée dix minutes plus tard et la police aussi. On n'allait pas attraper le ferry après tout, mais on était sain et sauf.

* déraper = to skid

1 Répondez aux questions **en français**.

a) Quelle heure était-il?

.... (2 marks)

b) Qui conduisait la voiture?

.... (1 mark)

c) Où étaient les deux copains au moment de l'accident?

.... (2 marks)

d) Pourquoi devaient-ils continuer à rouler à cette heure-là?

.... (3 marks)

e) Que faisait le narrateur juste avant l'accident?

.... (1 mark)

f) Comment était le chauffeur du camion après l'accident?

.... (1 mark)

2 EITHER: Write approximately 80 words in French about an accident you witnessed. Use the imperfect and the perfect tenses.

OR: Continue the following story using the imperfect and the perfect tenses:

'Il était minuit. Je dormais tranquillement dans mon lit quand
j'ai entendu un bruit ...'   (25 marks)

Score   / 35

For more on this topic see pages 44–47 of your Success Guide.   Total score   / 50

How well did you do?   ✗ 0–15 **Try again**   16–25 **Getting there**   26–35 **Good work**   36–50 **Excellent!** ✓

Once upon a time 2

A

Choose just one answer: a, b, c or d.

1 The imperfect tense is used for incomplete and
.... actions in the past.
- a) unusual
- b) repeated
- c) negative
- d) positive
(1 mark)

2 Complete the sequence: 'je répondais, tu
répondais, il ...'
- a) répond
- b) répondrait
- c) répondaient
- d) répondait
(1 mark)

3 'I used to deliver newspapers.' =
'Je .... des journaux.'
- a) distribuais
- b) remplissais
- c) regardais
- d) mangeais
(1 mark)

4 Find the correct pronoun to complete the
sentence: 'Tous les jours .... faisions des
photocopies.'
- a) je
- b) tu
- c) elles
- d) nous
(1 mark)

5 'I was pleased with my job.' =
'J'............. content de mon boulot.'
- a) avais
- b) aimais
- c) étais
- d) imaginais
(1 mark)

Score   / 5

B

Answer all parts of all questions.

1 Write down the French for:

a) in a factory = ...

b) at the office = ...

c) for a company = ...

d) letters and files =   des lettres et ....   (4 marks)

2 Complete the statements about work experience tasks using the imperfect tense.

Example: (faire =) Je faisais des photocopies.

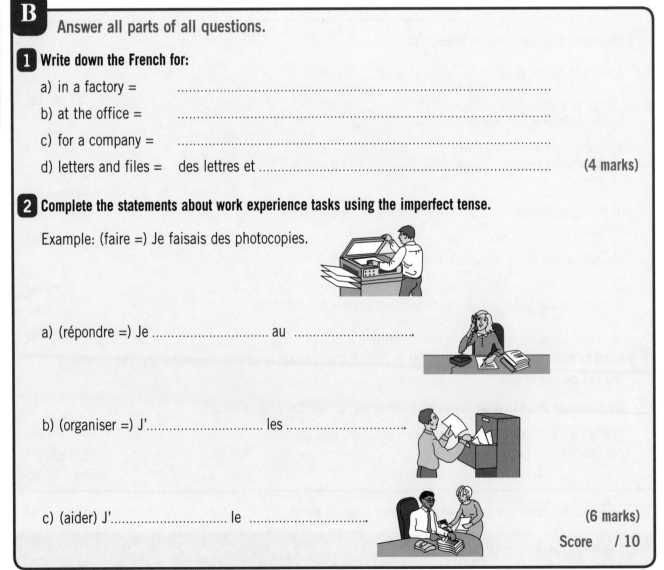

a) (répondre =) Je .... au ....

b) (organiser =) J'............................ les ....

c) (aider) J'............................ le ....

(6 marks)

Score   / 10

C

These are GCSE-style questions. Answer all parts of the questions. Continue on separate paper where necessary.

Lisez le texte.

Travail en entreprise: Nicole et les voitures!

Au mois de mars dernier j'ai fait mon travail en entreprise. Tous les jours pendant trois semaines je travaillais à Autotop, une entreprise de location de voitures.* Non, ce n'était pas ennuyeux du tout! Au contraire, j'ai trouvé l'expérience très intéressante et bien variée. Par exemple, le matin je travaillais dans l'atelier. Il y avait une trentaine de véhicules à louer, donc il fallait tout nettoyer. Je ne savais pas conduire mais les mécaniciens me permettaient de laver les voitures – au lavage automatique, bien sûr. C'était super!

Puis, dans l'après-midi, j'aidais les employés de bureau. J'accueillais les clients au bureau et je répondais au téléphone. Ça me faisait plaisir, parce que j'aime bien communiquer avec les gens. Ce qui m'a étonné, c'était le nombre de clients de toutes sortes qui voulaient louer une voiture – des hommes d'affaires, des vacanciers, des gens qui n'avaient pas de voiture temporairement à cause d'accidents de route. Un jour j'ai même loué une voiture à deux sœurs religieuses!

J'aimais moins organiser les fichiers, parce que ça m'énerve. Mais je ne devais pas remplir trop de formulaires, alors ce n'était pas si mal que ça, en fin de compte.

En plus, le patron m'a même offert 50 euros à la fin de mon travail d'entreprise, parce qu'il était content de ma participation à l'entreprise – et moi aussi!

*location de voitures = car hire

1 Identifiez les opinions de Nicole. Écrivez **P** (positive), **N** (négative), ou **P/N** (positive et négative) dans les cases.

a) Nettoyer l'atelier et les voitures. ☐

b) Accueillir les clients. ☐

c) Classer les documents au bureau. ☐

d) Remplir les formulaires. ☐

e) Le travail en entreprise en gros. ☐ **(5 marks)**

2 Écrivez environ **80 mots en français** sur votre dernier travail en entreprise.
Mentionnez:

■ où vous avez travaillé et quand

■ les tâches que vous faisiez tous les jours

■ comment vous avez trouvé l'expérience et pourquoi. **(25 marks)**

Score / 30

For more on this topic see pages 44–47 of your Success Guide. Total score / 45

How well did you do? ✗ 0–15 Try again 16–23 Getting there 24–33 Good work 34–45 Excellent! ✓

Holiday accommodation 1

A

Choose just one answer: a, b, c or d.

1 The relative pronoun 'qui' is followed by:
a) a noun or pronoun
b) an adjective
c) a verb
d) a preposition **(1 mark)**

2 The relative pronoun 'que' is followed by:
a) a noun or pronoun
b) an adjective
c) a verb
d) a preposition **(1 mark)**

3 Find the correct relative pronoun:
'L'hôtel .... je cherche est là-bas.'
a) qui
b) que
c) qu'
d) dont **(1 mark)**

4 Find the correct relative pronoun again:
'C'est l'ascenseur .... ne marche pas.'
a) dont
b) qu'
c) que
d) qui **(1 mark)**

5 'I've got neither a towel nor a hairdryer.' =
'Je n'ai .... serviette ....
sèche-cheveux.'
a) ne .... pas
b) ne .... plus
c) ni .... ni
d) ne .... rien **(1 mark)**

Score   / 5

B

Answer all parts of the question.

1 Draw lines to match the statements to the jumbled drawings.

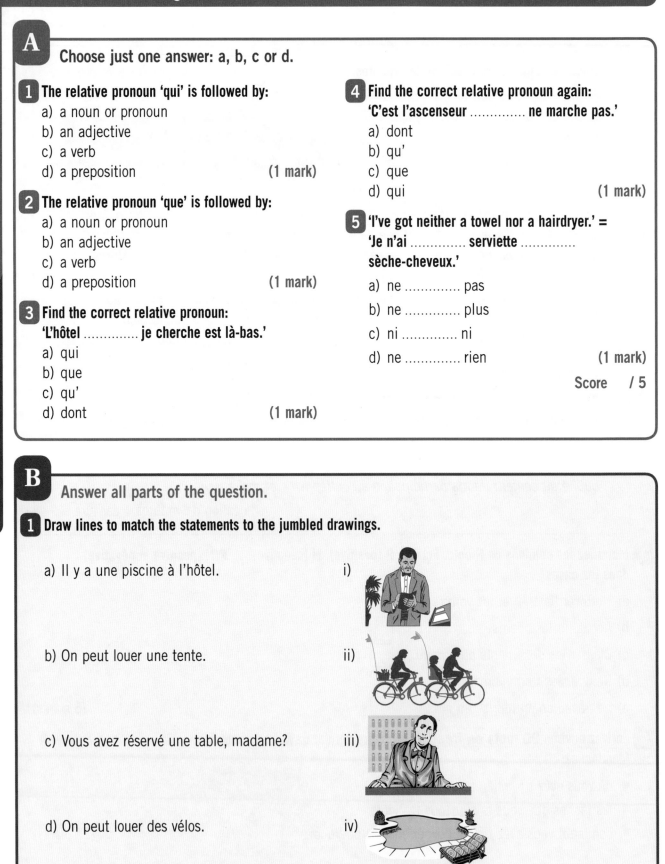

a) Il y a une piscine à l'hôtel.   i)

b) On peut louer une tente.   ii)

c) Vous avez réservé une table, madame?   iii)

d) On peut louer des vélos.   iv)

e) Vous avez réservé une chambre, monsieur?   v)

(5 marks)

Score   / 5

44

C

These are GCSE-style questions. Answer all parts of the questions. Continue on separate paper where necessary.

1 Read this hotel advertisement then complete the details below in French, writing the numbers out as words.

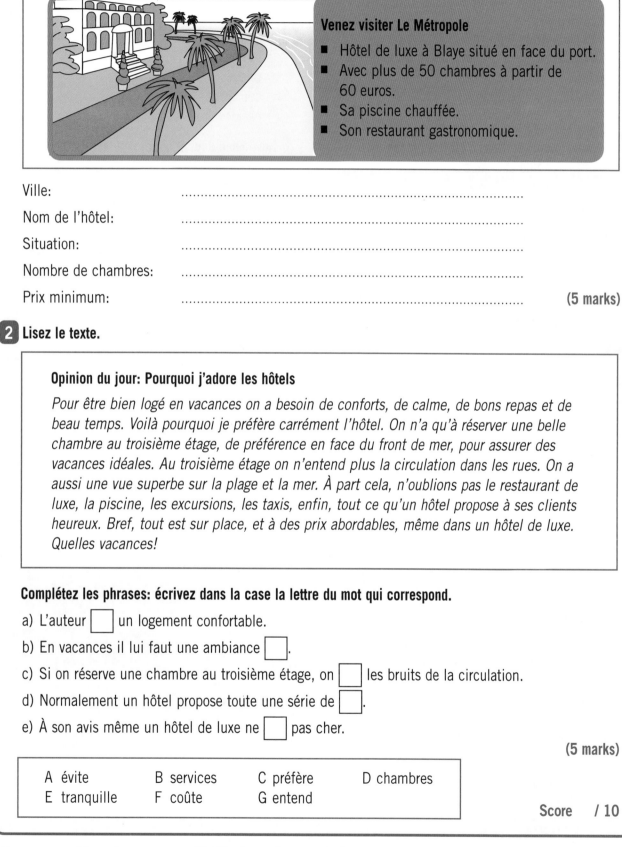

Venez visiter Le Métropole

- Hôtel de luxe à Blaye situé en face du port.
- Avec plus de 50 chambres à partir de 60 euros.
- Sa piscine chauffée.
- Son restaurant gastronomique.

Ville: ....

Nom de l'hôtel: ....

Situation: ....

Nombre de chambres: ....

Prix minimum: ....   **(5 marks)**

2 Lisez le texte.

Opinion du jour: Pourquoi j'adore les hôtels

Pour être bien logé en vacances on a besoin de conforts, de calme, de bons repas et de beau temps. Voilà pourquoi je préfère carrément l'hôtel. On n'a qu'à réserver une belle chambre au troisième étage, de préférence en face du front de mer, pour assurer des vacances idéales. Au troisième étage on n'entend plus la circulation dans les rues. On a aussi une vue superbe sur la plage et la mer. À part cela, n'oublions pas le restaurant de luxe, la piscine, les excursions, les taxis, enfin, tout ce qu'un hôtel propose à ses clients heureux. Bref, tout est sur place, et à des prix abordables, même dans un hôtel de luxe. Quelles vacances!

Complétez les phrases: écrivez dans la case la lettre du mot qui correspond.

a) L'auteur ☐ un logement confortable.

b) En vacances il lui faut une ambiance ☐.

c) Si on réserve une chambre au troisième étage, on ☐ les bruits de la circulation.

d) Normalement un hôtel propose toute une série de ☐.

e) À son avis même un hôtel de luxe ne ☐ pas cher.

(5 marks)

A évite	B services	C préfère	D chambres
E tranquille	F coûte	G entend	

Score   / 10

For more on this topic see pages 48–51 of your Success Guide.   Total score   / 20

How well did you do?   ✗ 0–5 Try again   6–10 Getting there   11–15 Good work   16–20 Excellent! ✓

Holiday accommodation 2

A

Choose just one answer: a, b, c or d.

1 Find the correct relative pronoun:
'La caravane .... on a louée est moderne.'
a) qui   b) que
c) dont   d) qu'   **(1 mark)**

2 Complete the sentence with the correct
relative pronoun: 'Non, c'est l'emplacement
.... coûte cinq euros.'
a) qui   b) que
c) dont   d) qu'   **(1 mark)**

3 'There are no more bikes left for hire.' =
'Il n'y a .... de vélos à louer.'
a) jamais   b) rien
c) plus   d) personne   **(1 mark)**

4 'not drinking water' = '.............. non potable'
a) tente
b) pile
c) eau
d) casier   **(1 mark)**

5 'How much does it cost?' = 'C'est ....?'
a) comment
b) quand
c) où
d) combien   **(1 mark)**

Score   / 5

B

Answer all parts of the question.

1 How well do you know campsite vocabulary? Translate the following into French.

a) washblock = un bloc ....

b) locker = un ....

c) sleeping bag = un ....

d) gas = le ....

e) caravan = une ....

f) washing machine = une ....

g) battery = une ....

h) dustbin = une ....

i) forest walk = une .... en forêt

j) games room = une ....

Score   / 10

C

These are GCSE-style questions. Answer all parts of the questions. Continue on separate paper where necessary.

Avis du jour: Pourquoi je déteste les campings!

Les campings? N'en parlons plus! L'été dernier ma famille et moi sommes allés au camping municipal de Villeneuve. On allait passer des vacances merveilleuses – l'air frais, le soleil, la nature! Mais non, au contraire! D'abord, les emplacements étaient si serrés que les gens dans la caravane voisine voyaient directement dans notre chambre! En plus la piscine était froide. Il n'y avait jamais de douche libre dans le bloc sanitaire, et il n'y avait ni moniteurs d'activités en plein air ni salle de jeux pour les enfants. Quant au temps, il a plu tous les jours. Vive l'hôtel!

---

1 Cochez ✔ les cinq phrases correctes.

a) On parle des vacances désastreuses. ☐

b) La famille a passé des vacances à merveille. ☐

c) Les emplacements étaient trop étroits. ☐

d) On a trouvé que l'eau de la piscine était fraîche. ☐

e) On pouvait prendre une douche quand on voulait. ☐

f) On ne proposait pas grand-chose aux enfants. ☐

g) Il n'a pas fait tellement beau. ☐

(5 marks)

2 Read this e-mail.

Salut!

Tu pars en vacances avec ta famille cet été? Vous avez réservé à l'hôtel? Ou préférez-vous faire du camping? Moi, j'adore ça! Coucher sous la tente, faire des randonnées et des activités en plein air. Je n'aime pas tellement les hôtels. Et toi?

Écris-moi vite!

Rosine

Answer Rosine's questions in an e-mail. Write 30–40 words in French. Say whether you prefer staying at a hotel or on a campsite. Remember to give your reasons and say what activities/services you like best.

(10 marks)

Score   / 15

How well did you do?	✗ 0–8 Try again 9–15 Getting there 16–22 Good work 23–30 Excellent! ✔

Directions and transport 1

A
Choose just one answer: a, b, c or d.

1 Which of these words tells you where someone or something is?
a) an adjective
b) a noun
c) a verb
d) a preposition **(1 mark)**

2 'at the bottom of the road' = '............. de la rue'
a) à côté   b) près
c) au fond   d) au milieu   **(1 mark)**

3 'between the post office and the cinema' = '............. la poste et le cinéma'
a) sous   b) entre
c) devant   d) derrière   **(1 mark)**

4 To tell a friend to turn right, you say: '............. à droite'
a) tournez
b) tournons
c) tourner
d) tourne **(1 mark)**

5 'let's not go out' = 'ne .... pas'
a) sors
b) sortons
c) sortir
d) sortez **(1 mark)**

Score   / 5

B
Answer all parts of the question.

1 Label these places in and around town. Using the key below, write the numbers in the boxes next to each place.

A ☐   B ☐   C ☐

D ☐   E ☐   F ☐

G ☐   H ☐   I ☐

J ☐

Légende
1 = la piscine
2 = l'aéroport
3 = l'office de tourisme
4 = le commissariat de police
5 = la banque
6 = le camping
7 = le garage
8 = le cinéma
9 = l'hôpital
10 = le théâtre

Score   / 10

Letts
and
LONSDALE

GCSE
Success

Workbook
Answer
Booklet

French

Lawrence Briggs

EVERYDAY LIFE

My home 1

A
1 d
2 c
3 b
4 a
5 c

B
1 a) l'armoire
  b) le poster
  c) le lit
  d) la chaise
  e) la télévision
  f) le magnétoscope
  g) le canapé
  h) la chaîne hi-fi
  i) la lampe
  j) l'ordinateur
  k) la toilette
  l) le four à micro-ondes
  m) l'évier
  n) la table
  o) la cuisinière

C
1 a) B
  b) H
  c) C
  d) F
  e) A
  f) E
2 14 marks for transmission of information covering the four aspects mentioned in the instructions.
(Possible answer)
Salut Chris!
Heureusement j'ai ma propre chambre. Elle est [grande/petite], avec des rideaux [bleus] et un tapis [jaune et rouge]. Les murs sont [blancs]. Dans ma chambre il y a [un/le lit, une armoire, une table, une télévision et des posters]. Normalement [j'écoute mes CD] dans ma chambre et [j'y fais mes devoirs aussi].

My home 2

A
1 c
2 d
3 c
4 c
5 b

B
1 a) l'Écosse
  b) l'Irlande
  c) l'Angleterre
  d) le Pays de Galles
2 a) en
  b) au
  c) en
  d) en

C
1 a) V
  b) F
  c) F
  d) F
  e) ?
  f) F
  g) V
2 20 marks in total for transmission of information – 5 marks per aspect named in the instructions.
(Possible answer)
Salut!
Là où j'habite? Eh bien, j'habite [un appartement] [au centre-ville] à [town name]. En ville il y a [beaucoup de magasins et de parcs]. Il y a aussi [un grand centre commercial]. C'est [un grand appartement] avec [trois chambres, une salle de bains, une cuisine, et un séjour]. On n'a pas de jardin mais il y a un parc en face de l'appartement/l'immeuble. J'aime bien [mon appartement] parce qu'il est très [grand et moderne]. Et j'aime bien être au centre-ville. J'adore ma ville aussi.

Family, friends and me 1

A
1 d
2 c
3 a
4 c
5 b

B
1 a) Est-ce que
  b) Quel
  c) Comment
  d) Qu'est-ce que
  e) Où

C
1 a) au grenier
  b) au deuxième étage
  c) au premier étage
  d) au rez-de-chaussée
  e) au sous-sol
2 a) Oumar, quinze ans
  b) Limoges
  c) bleus
  d) O
  e) la lecture

Family, friends and me 2

A
1 c
2 b
3 b
4 d
5 a

B
1 A5 B2 C6 D3 E1 F4
2 A6 B3 C5 D1 E2 F4

C
1 a) Jonathon
  b) Antoine
  c) Jonathon
  d) Antoine
  e) Nadège
2 15 marks for transmission of information covering all seven questions in the instructions.
(Possible answer)
Bonjour Nina
Je m'appelle [name].
J'ai [age] ans et j'habite à [town/village] dans le [sud-ouest/nord-est]. Je suis [grand(e), petit(e), de taille moyenne], et j'ai les cheveux [longs et blonds] et les yeux [bleus]. J'ai [un frère]. Il est [petit avec les cheveux courts]. J'ai beaucoup d'animaux à la maison: deux chats, un chien, deux lapins et beaucoup de poissons. Comme passetemps je préfère [le sport et les jeux d'ordinateur].

Daily routine 1

A
1 d
2 c
3 c
4 b
5 d

B
1 a) Je fais le repassage.
  b) Je prends une douche.
  c) Je me gratte.
  d) Je prends le petit déjeuner.
  e) Je m'amuse.
  f) Je fais mon lit.

C
1 a) E
  b) F
  c) A
  d) D
  e) B
  f) H
  g) I
2 18 marks for transmission of information (i.e. 2 marks for each of the nine sections named in the instructions).
(Possible answer)
Je me lève normalement vers [sept heures et demie]. Pour le petit déjeuner je prends [des toasts avec de la confiture] et [je bois du lait chaud]. Je quitte la maison pour aller au collège à [huit heures et quart]. Je vais au collège [à pied]. Les cours commencent à [neuf heures moins le quart]. On a récré à [onze heures] puis à [midi et demi] on mange [dans la cantine]. La journée scolaire se termine à [quatre heures moins vingt]. Normalement le soir je [fais mes devoirs] puis [j'écoute mes CD ou je regarde la télé dans ma chambre].

Daily routine 2

A
1 a
2 a
3 d
4 b
5 c

B
1 A3 B4 C5 D1 E2
2 a) me, huit
  b) t', collège
  c) se, heure
  d) se, chambre
  e) se, minuit

C
1 a) repose
  b) aider
  c) fait
  d) ménage, courses
  e) vont
  f) prennent
  g) copine
  h) fait
2 21 marks for transmission of information (2 for each of the ten questions in the instructions). Bonus mark

for accuracy.
(Possible answer)
Tu te lèves à quelle heure le samedi? Que fais-tu pour aider à la maison? (Tu fais le ménage ou ton lit? Et les courses?) Quand est-ce que tu fais tes devoirs? Tu les fais dans ta chambre ou dans le séjour? Tu regardes la télé ou écoutes de la musique en même temps? Que fais-tu le samedi? Tu sors avec tes copains? Et dimanche matin et après-midi?
Tu te couches à quelle heure normalement?
Comment tu trouves ton week-end typique?

School and money 1

A
1 c
2 d
3 b
4 a
5 c

B
1 a) sports centre
  b) staff room
  c) library
  d) science labs
  e) classrooms
2 a) (la) musique
  b) (le) dessin
  c) (l') éducation physique/ ÉPS
  d) (la) géographie
  e) (la) technologie

C
1 a) small school, in north-west France
  b) about 300
  c) it's pretty/attractive/old
  d) computer room
2 20 marks for transmission of information covering the aspects named in the instructions.
(Possible answer)
Je vais au collège [name of school] à [place name] dans le [nord/sud]. C'est un [grand] collège assez [moderne]. Il y a environ [douze cents] élèves. On a [un grand centre sportif, une piscine et deux salles d'informatique]. C'est super! Il y a environ [soixante] profs

au collège. Ma matière préférée, c'est [l'ÉPS], alors j'aime bien le centre sportif et la piscine. Les profs sont sympas aussi, alors j'aime bien mon collège.

School and money 2

A
1 d
2 b
3 c
4 d
5 a

B
1 a) D
  b) A
  c) E
  d) B
  e) C

C
1 a) V
  b) F
  c) V
  d) ?
  e) V
  f) V
2 24 marks for transmission of information including the points named in the instructions.
(Possible answer)
À mon avis la journée scolaire au collège est beaucoup trop longue – les cours commencent à huit heures et demie et se terminent à quatre heures et quart. Il y a trop de matières sur l'emploi du temps. Pourquoi faire autant de matières? Moi, j'en fais dix. Mais j'aime bien certaines matières, par exemple les sciences et l'espagnol. Mon prof d'espagnol est génial. Je n'aime pas tellement l'histoire mais le prof d'histoire est sympa, alors ça va. Ce que je n'apprécie pas au collège, c'est la cantine. C'est dégoûtant! Mais en gros j'aime bien mon collège, et mes copains aussi.

School and money 3

A
1 c
2 b
3 d

4 a
5 a

B
1 a) supermarché, une boulangerie
  b) vingt livres, par heure
  c) CD, jeux d'ordinateur, vêtements
  d) un ordinateur, une chaîne hi-fi, vacances

C
1 a) N
  b) P/N
  c) P/N
  d) N
  e) P
2 8 marks for transmission of information covering the aspects named in the instructions and 12 marks for use of tenses, range of language and accuracy.
(Possible answer)
Je fais de petits emplois pour gagner beaucoup d'argent, parce que je ne reçois pas d'argent de poche. L'année dernière j'ai distribué des journaux. J'ai gagné beaucoup d'argent mais je n'aimais pas travailler tôt le matin. Puis j'ai travaillé comme moniteur dans un camping en ville. C'était super. Il y avait beaucoup de jeunes et le camping était bien aussi. Il y avait une piscine et beaucoup d'activités pour les enfants. Cet été je vais travailler au supermarché peut-être. J'espère que je travaillerai dans les rayons parce que je n'aime pas l'idée de travailler à la caisse. Je vais économiser mon argent pour les vacances.

Descriptions 1

A
1 b
2 c
3 b
4 a
5 d

B
1 a) petit, grand
  b) bon, mauvais
  c) nouveau, vieux
  d) gros, beau
  e) joli(e), jeune

2 They all go before the noun.

C
1 a) ii) hiver
  b) iii) séparés
  c) iii) plus âgée qu'elle
  d) iii) blonde
  e) i) vive
2 4 marks per section for transmission of information.
(Possible answer)
Nom: Laurence Dupont
Date de naissance: le 18 décembre 1986
Famille: Ses parents sont divorcés donc elle habite avec son père et son frère cadet, Simon, à Rouen. Sa sœur aînée habite à Bordeaux.
Description: Laurence mesure 1m 58. Elle a les cheveux courts, bouclés et bruns et les yeux marron. Elle est un peu timide mais elle est très intelligente et populaire. Elle a beaucoup de copains.
Ambition: Laurence voudrait être médecin.

Descriptions 2

A
1 c
2 b
3 d
4 a
5 d

B
1 a) D
  b) H
  c) C
  d) E
  e) A

C
1 a) D
  b) E
  c) B
  d) D
  e) B
  f) C
  g) A
2 4 marks per question for transmission of information.

LEISURE AND TRAVEL

Getting about 1

A
1 d
2 c
3 d
4 a
5 c

B
1 a) à Paris
  b) à midi
  c) derrière la poste
  d) à la gare
  e) sur la route de Bordeaux
2 a) devant/à la banque
  b) en face de l'hôpital
  c) à côté de/près de la cathédrale
  d) au centre commercial/ devant le centre commercial
  e) dans le/au stade

C
1 a) ?
  b) F
  c) F
  d) V
  e) V
  f) F
  g) ?
  h) V
  i) F
  j) V
2 4 marks per question for transmission of information.

Getting about 2

A
1 d
2 b
3 b
4 d
5 a

B
1 a) en taxi
  b) en avion
  c) en bateau/ferry
  d) à cheval
  e) à vélo
  f) en bus
  g) en car
  h) en train

C
1
1 1er voyage: l'été dernier; en Corse; avec ses parents; en avion.
  2ème voyage: à Pâques; en Bretagne; avec les copains; en voiture.

3ème voyage: cet été; en Espagne; avec son frère; en train.
2 8 marks for transmission of information, 12 marks for accuracy and range of expression.

Leisure, hobbies and sports 1

A
1 c
2 d
3 a
4 c
5 b

B
1 a) s'il fait chaud
  b) s'il fait froid
  c) s'il fait du vent
  d) s'il pleut
  e) s'il neige
2 a) peux
  b) veut
  c) dois
  d) peut
  e) veut

C
1 a) a
  b) s'amuser
  c) l'équitation
  d) nager
  e) faire
2 20 marks for transmission of information, covering all questions asked in the email.

Leisure, hobbies and sports 2

A
1 b
2 c
3 d
4 a
5 d

B
1 a) jouer de la guitare
  b) jouer au football
  c) aller à la pêche
  d) dormir
  e) faire du shopping

C
1 a) C
  b) D
  c) C
  d) B
  e) A
  f) B
  g) A

Where did you go ... and what did you do? 1

A
1 c
2 d
3 d
4 b
5 d

B
1 Rester
  Aller
  Naître
  Arriver
  Partir
  Tomber
  Entrer
  Venir
  Descendre
  Sortir
  Monter
  Mourir
2 a) Il a joué au tennis.
  b) Il a joué au football.
  c) Il est descendu.

C
1 b, c, e, f, g are correct
2 10 marks for transmission of information, 15 marks for accuracy/use of perfect tense covering the areas mentioned in the instructions.

Where did you go ... and what did you do? 2

A
1 c
2 d
3 a
4 b
5 d

B
1 a) J'ai regardé la télé avec mes copains.
  b) J'ai joué avec l'ordinateur.
  c) Je suis allé(e) au concert.
  d) J'ai fait du surf.

C
1 a) Any three from: the weather, the countryside, the Atlantic beaches, the people
  b) plane, car, train
  c) renting a gîte, renting a flat, camping
  d) They're all on the Atlantic coast.

2 5 marks per section (2 for transmission of information and 3 for accuracy, i.e. use of tenses, range, etc.).

Once upon a time 1

A
1 c
2 b
3 d
4 b
5 c

B
1 a) Je regardais la télé(vision).
  b) Tu jouais au football.
  c) Il distribuait des journaux.
  d) Elle préparait le café.
  e) Ma mère faisait la cuisine.

C
1 a) Il était huit heures et demie (du soir).
  b) Chris conduisait la voiture.
  c) Ils passaient près de Lyon.
  d) Le ferry allait partir à minuit. (and/or: Ils n'avaient pas assez d'argent pour payer l'hôtel.)
  e) Il dormait.
  f) Il n'était pas gravement blessé.
2 10 marks for transmission of details of story and 15 marks for range of language, accuracy, use of imperfect and perfect tenses, etc.

Once upon a time 2

A
1 b
2 d
3 a
4 d
5 c

B
1 a) dans une usine
  b) au bureau
  c) pour une entreprise
  d) des fichiers
2 a) Je répondais au téléphone.
  b) J'organisais les fichiers.
  c) J'aidais le patron.

C

1 a) P
   b) P
   c) N
   d) P/N
   e) P
2 5 marks per section (where, when, what you did, what you thought of it and why), i.e. 2 marks for transmission of information and three for use of tenses, accuracy and range.

Holiday accommodation 1

A

1 c
2 a
3 b
4 d
5 c

B

1 a) iv
   b) v
   c) i
   d) ii
   e) iii

C

1 Ville: Blaye
   Nom de l'hôtel: Le Métropole
   Situation: en face du port
   Nombre de chambres: plus de cinquante
   Prix minimum: soixante euros
2 a) C
   b) E
   c) A
   d) B
   e) F

Holiday accommodation 2

A

1 d
2 a
3 c
4 c
5 d

B

1 a) un bloc sanitaire
   b) un casier
   c) un sac de couchage
   d) le gaz
   e) une caravane
   f) une machine à laver
   g) une pile
   h) une poubelle
   i) une promenade en forêt
   j) une salle de jeux

C

1 a, c, d, f and g are correct.
2 4 marks for transmission of information and 6 marks for accuracy, range of language, use of tenses, etc.

Directions and transport 1

A

1 d
2 c
3 b
4 d
5 b

B

1 A 2
   B 8
   C 10
   D 6
   E 4
   F 7
   G 1
   H 3
   I 5
   J 9

C

1 a) E
   b) F
   c) C
   d) A
   e) B
2 10 marks for transmission of information in the five sections given in the instructions.

Directions and transport 2

A

1 c
2 d
3 a
4 c
5 b

B

1 a) gare
   b) rond-point
   c) gare routière
   d) plage
   e) zone piétonne
   f) station-service
   g) port
   h) mairie
   i) centre sportif
   j) église

C

1 a) tourists
   b) time and money
   c) tram, bus, taxi
   d) in comfort
   e) traffic
   f) a ticket and a book of (ten) tickets
   g) quick, easy
2 a) Rendez-vous: Tour Eiffel.
   b) Prenez le métro.
   c) Prenez la direction 'Balard'.
   d) Changez à 'La Motte Picquet'.
   e) Prenez la direction 'Charles de Gaulle Étoile'.
   f) Descendez à 'Champs de Mars'.

The world of preferences 1

A

1 c
2 a
3 b
4 a
5 d

B

1 a) Rouen
   b) Bordeaux
   c) Marseille
   d) Clermont-Ferrand
   e) Strasbourg
   f) Brest

C

1 a) F
   b) V
   c) ?
   d) V
2 8 marks for transmission of information, covering all three main areas, and 12 marks for range of language, use of infinitive constructions and expressions of opinion.

The world of preferences 2

A

1 c
2 b
3 b
4 d
5 b

B

1 a) la salade verte
   b) les produits laitiers
   c) la pizza
   d) le poisson
   e) le gâteau

C

1 a) D
   b) F
   c) E
   d) C
   e) B
2 10 marks for transmission of information, provided reasons are given for choices.

OUT AND ABOUT

Welcome! 1

A

1 b
2 d
3 c
4 d
5 b

B

1 a) être fatigué = to be tired
   b) être malade = to be ill
   c) être content = to be happy/contented
   d) être triste = to be sad
   e) avoir faim = to be hungry
   f) avoir soif = to be thirsty
   g) avoir chaud = to be hot
   h) avoir froid = to be cold

C

1 a) A
   b) C
   c) C
   d) A
   e) B
2 10 marks for transmission of information, covering the areas mentioned in the instructions, and 15 marks for range of tenses, accuracy, etc.

Welcome! 2

A

1 c
2 c
3 d
4 b
5 a

B

1 a) D
   b) B
   c) E
   d) C
   e) A

C

1 a) hiver
   b) Chez Josette
   c) 100s
   d) 25 euros
   e) 20 euros
2 5 marks for transmission of information about one festival, covering all four questions.

Food and drink 1

A
1 c
2 a
3 d
4 c
5 b

B
1 a) une botte de carottes
  b) une douzaine d'œufs
  c) une barquette de fraises
  d) 500 grammes de cerises
  e) un filet de pommes de terre

C
1 B, C, E, F, G, J
2 A, D, H, I, K
3 a) Je voudrais deux melons.
  b) Avez-vous des pamplemousses?
  c) J'en prends trois.
  d) Il me faut un kilo de pommes de terre.
  e) Donnez-moi une barquette de fraises.

Food and drink 2

A
1 c
2 a
3 c
4 a
5 b

B
1 a) A
  b) D
  c) B
  d) C
  e) E

C
1 a) E
  b) B
  c) F
  d) A
  e) D
2 a) six boîtes de coca
  b) une bouteille de limonade
  c) quatre côtelettes de porc
  d) un kilo de pommes de terre
  e) un paquet de chips

Food and drink 3

A
1 a
2 c
3 a

4 c
5 d

B
1 a) dish of the day
  b) well-cooked
  c) medium
  d) Would you like your bill?
  e) Prices are inclusive./ Service is included.

C
1 a) B
  b) C
  c) G
  d) E
  e) F
  f) D
2 1 mark for each of the four courses.

At the shops 1

A
1 b
2 d
3 c
4 c
5 a

B
1 a) un jean
  b) un T-shirt
  c) une casquette
  d) une robe
  e) des chaussures

C
1 a) sales until the end of March
  b) cotton jackets
  c) 15% reduction on woollen coats
  d) fashion handbags made of leather
2 3 marks for covering each of the five points mentioned in the instructions.
(Possible answer)
Chère Chris, Moi aussi j'ai fait du shopping désastreux!
J'ai acheté un jean mais il est trop long. (Puis) j'ai acheté un pull trop court et une chemise trop chère et des baskets trop petites. Le maillot que j'ai acheté est bien … mais je n'en aime pas la couleur!
Bisous

At the shops 2

A
1 c
2 b
3 c
4 c
5 d

B
1 a) C
  b) E
  c) D
  d) A
  e) B

C
1 F, B, E, C, A, D
2 a) C
  b) B
  c) A
  d) D

Problems! 1

A
1 c
2 b
3 d
4 a
5 a

B
1 a) C
  b) E
  c) D
  d) A
  e) B

C
1 a) Elle se sent malade.
  b) la fièvre, avoir mal à la tête, avoir chaud, avoir soif (tout le temps)
  c) la mère de Francine/sa mère
  d) Elle ne pourra pas sortir avec ses copains.
  e) Elle ne pourra pas aller au collège/en cours.
2 Je suis tombé(e) en jouant au basket.
Je pense/crois que je me suis cassé le pied.
J'ai mal aux mains.
J'ai mal au dos aussi.

Problems! 2

A
1 c
2 c
3 a
4 d
5 a

B
1 a) dans le vestiaire
  b) à la piscine

  c) au collège/à l'école
  d) à la gare
  e) à l'hôtel

C
1 a) August
  b) on the third floor (number 304) opposite the lift
  c) under the bed
  d) blue and yellow, made of leather
  e) (sports) jersey/shirt
  f) in the fitness room on the second floor
2 15 marks for covering all the points about your lost property mentioned in the instructions.
(Possible answer)
Hôtel de France
[hotel address]
[town + date]
Monsieur/Madame,
J'ai perdu ma valise. Elle est [noire et marron] et [elle est en cuir]. Est-ce que je l'ai laissée à l'hôtel, peut-être dans ma chambre numéro [room number] ou dans l'ascenseur? Dedans il y avait [un ordinateur, mes vêtements et mes chaussures noires]. J'y ai laissé [ma montre] aussi. Je vous prie, Monsieur/Madame, de croire à l'assurance de mes sentiments les meilleurs.

Problems! 3

A
1 c
2 b
3 d
4 a
5 c

B
1 a) a traffic accident
  b) le coffre
  c) a fire
  d) les sapeurs-pompiers
  e) a puncture
  f) une ceinture de sécurité

C
1 b, c, e, f and g are correct.
2 J'ai vu/été témoin d'un accident de voiture/de route.
La voiture a dérapé.

Puis elle a heurté la barrière.

Un camion/poids lourd a dérapé aussi et il a heurté l'autre véhicule.

J'ai appelé la police et j'ai aidé le conducteur de la voiture.

Les sapeurs-pompiers sont arrivés un quart d'heure plus tard.

THE WIDER WORLD

The future 1

A
1 b
2 c
3 d
4 c
5 a

B
1 a) il fera chaud
  b) il neigera
  c) il pleuvra
  d) il fera du soleil
  e) il fera du vent
  f) il fera froid

C
1 a) V
  b) F
  c) V
  d) ?
  e) V
  f) F
  g) V
  h) F
  i) V
2 4 marks for transmission of information and 6 marks for accuracy, use of tenses (future especially), etc.

The future 2

A
1 c
2 c
3 d
4 c
5 a

B
1 a) B
  b) D
  c) E
  d) A
  e) C

C
1 a) F
  b) E
  c) H
  d) A

---

e) B
f) D
g) J
h) C
2 3 marks per section, i.e. 1 mark for transmission of information and 2 marks for range of language, accuracy, use of conditional, etc.

Our world 1

A
1 c
2 d
3 b
4 c
5 a

B
1 a) C
  b) A
  c) D
  d) E
  e) B
2 a) S
  b) S
  c) P
  d) P
  e) P

C
1 a) oil tanker spills
  b) death of plants, death of seabirds, oil on beaches
  c) tourists
  d) use cars less and public transport more
  e) disappearance of rare species and the destruction of the forests of the Amazon
  f) recycle their waste
  g) money
  h) government, industrialists, the individual
  i) bad economy

Our world 2

A
1 c
2 a
3 d
4 a
5 c

B
1 a) N
  b) P
  c) P
  d) P
  e) N
  f) P
  g) N

C
1 a) C
  b) B
  c) D
  d) A
2 5 marks for transmission of information, covering the aspects mentioned in the instructions, and 10 marks for range of language, use of impersonal verbs and modals, etc.

Which way to go? 1

A
1 b
2 a
3 b
4 d
5 c

B
1 a) C
  b) D
  c) E
  d) A
  e) B

C
1 a) D
  b) B
  c) F
  d) E
  e) A
2 10 marks for transmission of information covering four aspects mentioned in the instructions, and 15 marks for range of tenses, accuracy, etc.

Which way to go? 2

A
1 b
2 c
3 c
4 d
5 d

B
1 a) an apprenticeship
  b) a job
  c) business/commerce
  d) tourism
  e) marketing/advertising
  f) catering
  g) computers/information technology
  h) mechanical engineering
  i) industry
  j) telecommunications

C
1 a) practical and methodical

---

b) responsible and independent
c) independent and logical
d) original and creative
2 4 marks for transmission of information covering all four aspects mentioned, and 8 marks for range of tenses, use of infinitive constructions. accuracy, etc.

ACKNOWLEDGEMENTS

The author and publisher are grateful to the copyright holders for permission to use quoted materials and photographs.

Every effort has been made to trace the copyright holders and to obtain their permission for the use of copyright material. The author and publisher will gladly receive information enabling them to rectify any error or omission in subsequent editions.

Letts Educational
4 Grosvenor Place
London SW1X 7DL

School enquiries: 015395 64910
Parent & student enquiries: 015395 64913
E-mail: mail@lettsed.co.uk
Website: www.letts-educational.com

First published 2007

British Library Cataloguing in Publication Data. A CIP record of this book is available from the British Library.

ISBN: 978 1 843157 92 2

Book concept and development: Helen Jacobs, Publishing Development Director
Editorial: Catherine Dakin and Rebecca Skinner
Author: Lawrence Briggs

Cover design: Angela English
Inside concept design: Starfish Design
Text design and layout: Ken Vail Graphic Design

Letts and Lonsdale make every effort to ensure that all paper used in our books is made from wood pulp obtained from sustainable and well-managed forests.

ISBN 978-1-84315-792-2

C These are GCSE-style questions. Answer all parts of the questions. Continue on separate paper where necessary.

Regardez ces images.

A

B

C

SALLE D'ATTENTE

D

DÉPARTS

E

ARRIVEÉS

F

INFORMATIONS

ATTENTION

1 Écrivez dans la case la lettre de l'image qui correspond à chaque phrase.

a) Le train arrive à quelle heure? ☐

b) Je cherche des renseignements. ☐

c) Désolé – il y a un retard de 20 minutes. ☐

d) Je préfère un compartiment non-fumeur. ☐

e) Un aller-retour pour Dieppe, s'il vous plaît. ☐ (5 marks)

2 Leave a message for your exchange partner, Sandrine. Tell her:

■ you're at the swimming pool

■ it's beside the sports centre

■ take the first right and continue as far as the traffic lights

■ turn left then cross the square

■ it's just opposite. (10 marks)

Score / 15

For more on this topic see pages 52–55 of your Success Guide.

Total score / 30

How well did you do? ✗ 0–8 Try again   9–15 Getting there   16–22 Good work   23–30 Excellent! ✓

Directions and transport 2

A Choose just one answer: a, b, c or d.

1 'Go straight on!' = 'Allez … !'
a) à droite
b) à gauche
c) tout droit
d) là-bas   (1 mark)

2 To tell a stranger to cross the bridge, you say:
'............... le pont.'
a) traversons   b) traverse
c) traverser   d) traversez   (1 mark)

3 'Go as far as the lights.' = 'Allez .... feux.'
a) jusqu'aux
b) loin des
c) près des
d) à côté des   (1 mark)

4 'We're going into town.' = 'On va .... ville.'
a) y
b) au
c) en
d) à la   (1 mark)

5 'Pour aller .... auberge de jeunesse?'
a) au
b) à l'
c) à la
d) aux   (1 mark)

Score / 5

B Answer all parts of the question.

1 Label these places in town in French.

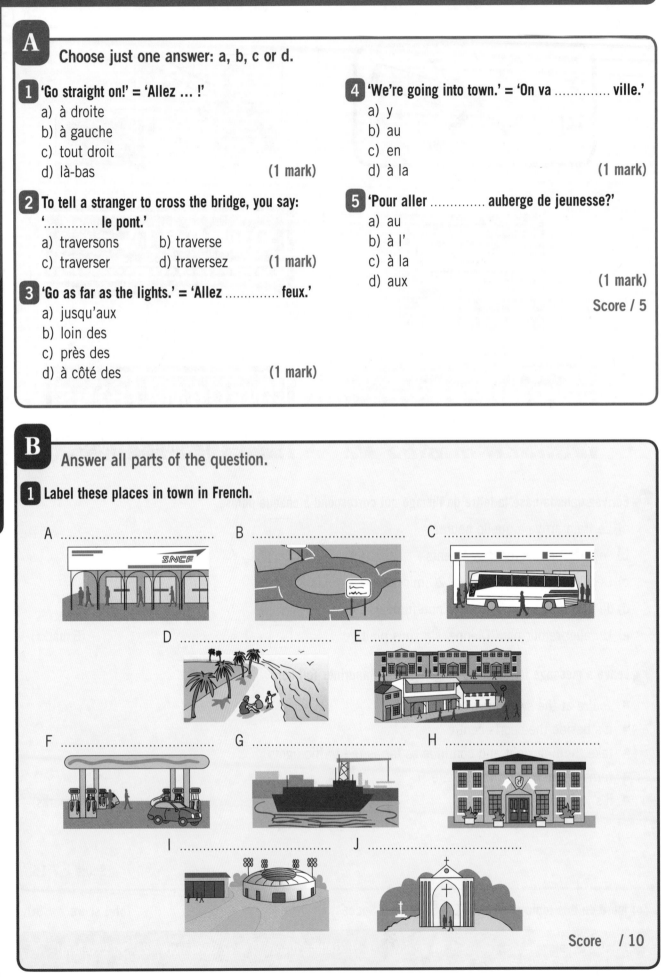

A ....
B ....
C ....
D ....
E ....
F ....
G ....
H ....
I ....
J ....

Score   / 10

50

C These are GCSE-style questions. Answer all parts of the questions. Continue on separate paper where necessary.

Read the Métro Rap.

> *Visitez Paris en touriste, Monsieur!*
> *Gagnez du temps et de l'argent précieux!*
> *Ne prenez ni tramway, ni bus ni taxi!*
> *Déplacez-vous en tout confort ici!*
> *Dépassez la circulation, madame, évitez la cohue*!*
> *Prenez le Métro! N'hésitez plus!*
> *Un ticket, un carnet, ce n'est pas cher!*
> *C'est rapide, c'est facile, ça c'est clair!*
>
> **la cohue = the crowds*

1 Answer the following questions in English.

a) What kind of people is this advertising rap aimed at? .... **(1 mark)**

b) What two things can they save if they use the underground? .... **(2 marks)**

c) Name the three types of transport they are told not to use. .... **(3 marks)**

d) In what conditions does the rap say they will travel? .... **(1 mark)**

e) What will they avoid besides the crowds? .... **(1 mark)**

f) What two things are not expensive? .... **(2 marks)**

g) Apart from being cheap, what are the underground's two obvious advantages? (last line)

.... **(2 marks)**

2 Leave a note for a group of French friends who are visiting Paris but don't know their way around. Give them the following pieces of information.

a) The meeting point is the Eiffel Tower.
b) Take the underground.
c) Take the line (direction) 'Balard'.
d) Change at 'La Motte Picquet'.
e) Then take the line (direction) 'Charles de Gaulle Étoile'.
f) Get out at 'Champs de Mars'.

a) Rendez-vous: Tour Eiffel.

b) ....

c) .... 'Balard'.

d) .... 'La Motte Picquet'.

e) .... 'Charles de Gaulle Étoile'.

f) .... 'Champs de Mars'. **(5 marks)**

Score   / 17

How well did you do?   ✗ 0–8 Try again   9–16 Getting there   17–24 Good work   25–32 Excellent! ✓

The world of preferences 1

A

Choose just one answer: a, b, c or d.

1 'My village is prettier.' =
'Mon village est .... joli.'
a) moins
b) aussi
c) plus
d) très   (1 mark)

2 Complete the sentence:
'Ta ville est aussi .... que Londres.'
a) bruyante
b) bruyant
c) bruyants
d) bruyantes   (1 mark)

3 'The people are less welcoming.' =
'Les gens sont .... accueillants.'
a) plus
b) moins
c) aussi
d) assez   (1 mark)

4 'It's too polluted in town.' =
'En ville c'est .... pollué.'
a) trop
b) très
c) peu
d) assez   (1 mark)

5 Complete the sentence:
'Le sud-est est ma région ...'
a) préféré
b) préférées
c) préférés
d) préférée   (1 mark)

Score   / 5

B

Answer all parts of the question.

1 Look at the map of France, read the statements,
and write down where each speaker lives.

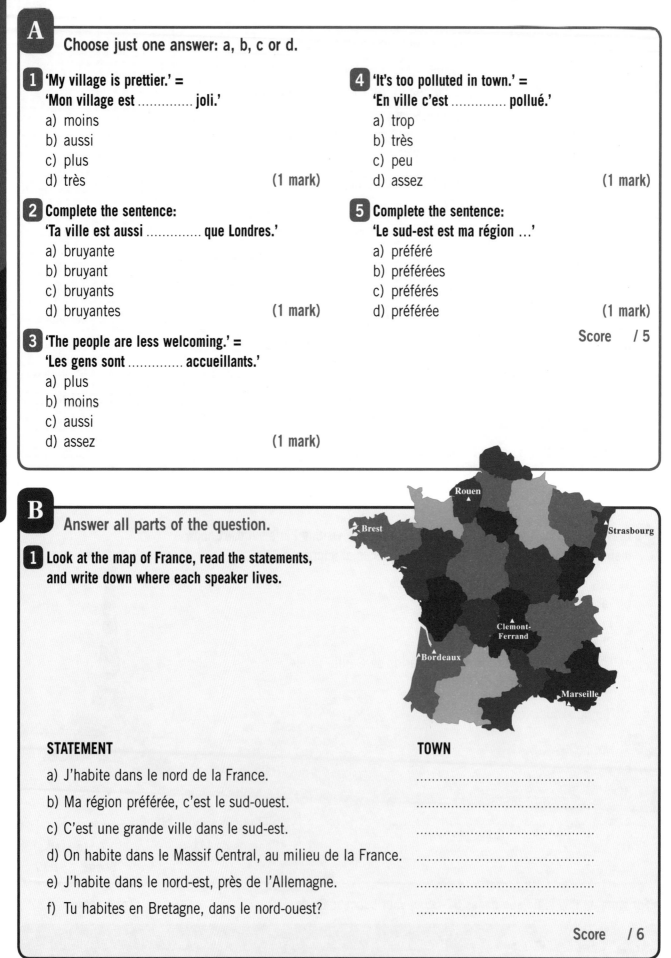

STATEMENT	TOWN
a) J'habite dans le nord de la France.	....
b) Ma région préférée, c'est le sud-ouest.	....
c) C'est une grande ville dans le sud-est.	....
d) On habite dans le Massif Central, au milieu de la France.	....
e) J'habite dans le nord-est, près de l'Allemagne.	....
f) Tu habites en Bretagne, dans le nord-ouest?	....

Score   / 6

C These are GCSE-style questions. Answer all parts of the questions. Continue on separate paper where necessary.

Lisez cette interview dans un magazine de jeunes.

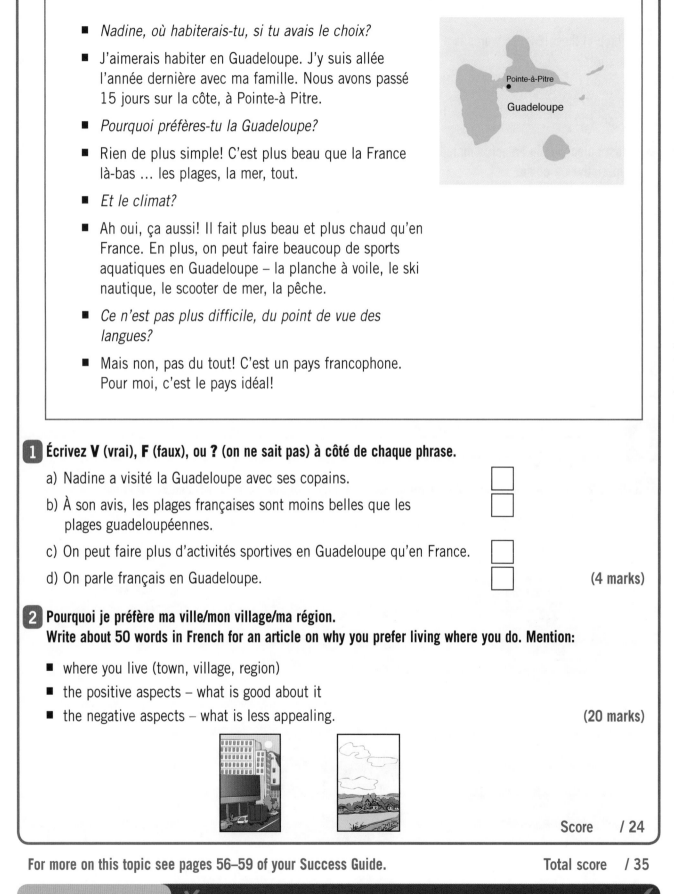

- *Nadine, où habiterais-tu, si tu avais le choix?*
- J'aimerais habiter en Guadeloupe. J'y suis allée l'année dernière avec ma famille. Nous avons passé 15 jours sur la côte, à Pointe-à Pitre.
- *Pourquoi préfères-tu la Guadeloupe?*
- Rien de plus simple! C'est plus beau que la France là-bas … les plages, la mer, tout.
- *Et le climat?*
- Ah oui, ça aussi! Il fait plus beau et plus chaud qu'en France. En plus, on peut faire beaucoup de sports aquatiques en Guadeloupe – la planche à voile, le ski nautique, le scooter de mer, la pêche.
- *Ce n'est pas plus difficile, du point de vue des langues?*
- Mais non, pas du tout! C'est un pays francophone. Pour moi, c'est le pays idéal!

Pointe-à-Pitre
Guadeloupe

1 Écrivez **V** (vrai), **F** (faux), ou **?** (on ne sait pas) à côté de chaque phrase.

a) Nadine a visité la Guadeloupe avec ses copains.

b) À son avis, les plages françaises sont moins belles que les plages guadeloupéennes.

c) On peut faire plus d'activités sportives en Guadeloupe qu'en France.

d) On parle français en Guadeloupe. (4 marks)

2 Pourquoi je préfère ma ville/mon village/ma région.
Write about 50 words in French for an article on why you prefer living where you do. Mention:

- where you live (town, village, region)
- the positive aspects – what is good about it
- the negative aspects – what is less appealing. (20 marks)

Score / 24

For more on this topic see pages 56–59 of your Success Guide. Total score / 35

How well did you do? ✗ 0–10 Try again 11–18 Getting there 19–29 Good work 30–35 Excellent! ✓

The world of preferences 2

A Choose just one answer: a, b, c or d.

1 Which of these English words is a superlative?
a) short
b) shorty
c) shortest
d) shorter **(1 mark)**

2 Most adjectives in French – including superlatives – come:
a) before the noun
b) after the noun
c) at the beginning of the sentence
d) at the end of the sentence **(1 mark)**

3 Complete: 'C'est la ville la ...'
a) plus visitées
b) plus visitée
c) moins visités
d) moins visitées **(1 mark)**

4 'the best dish' = ... plat'
a) la meilleure
b) les meilleures
c) les meilleurs
d) le meilleur **(1 mark)**

5 'the greasiest pizza' = 'la pizza ...'
a) le plus gras
b) la plus grasse
c) les plus gras
d) les plus grasses **(1 mark)**

Score / 5

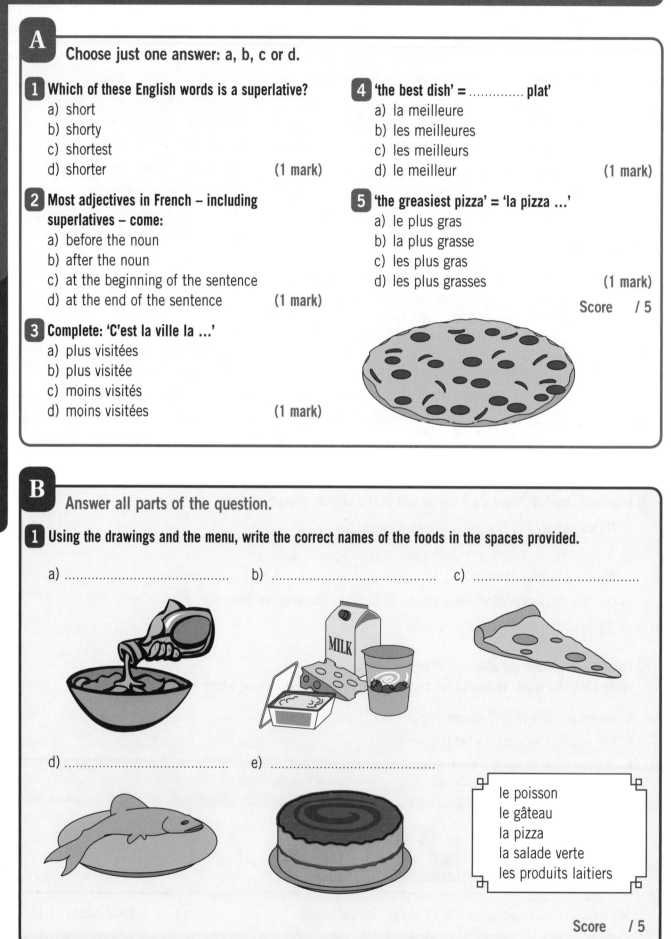

B Answer all parts of the question.

1 Using the drawings and the menu, write the correct names of the foods in the spaces provided.

a) ....

b) ....

c) ....

d) ....

e) ....

MILK

le poisson
le gâteau
la pizza
la salade verte
les produits laitiers

Score / 5

C

These are GCSE-style questions. Answer all parts of the questions. Continue on separate paper where necessary.

Lisez cet article.

Manger bien, manger sain?

Est-ce que les Français mangent plus sain que nous? Le régime français, est-il le plus sain? Certes, en France on mange beaucoup de salade verte, de légumes frais et de fruits, et on cuisine souvent à l'huile d'olive, qui est beaucoup mieux pour la santé. N'oublions pourtant pas que les fast foods sont très populaires en France aussi. D'ailleurs, au restaurant en France on peut trouver les plats les moins sains à cause des sauces riches et du gras qu'on y trouve, par exemple le confit de canard. Une chose est claire – la cuisine des collèges et des écoles français est une des meilleures. Les élèves mangent souvent du riz, des pâtes, de la salade, du yaourt, des fruits et de la bonne viande. Bref, ils ont un régime équilibré, tandis que dans la plupart des écoles et collèges de l'Angleterre, les élèves sont obligés de manger les plats les moins sains, les moins équilibrés et les plus dégoûtants, où les frites, les hamburgers et la mauvaise viande font les plats les plus communs.

1 Complétez les phrases: écrivez dans la case la lettre du mot qui correspond.

A mal	B gras	C meilleure	D sain
E apprécient	F nocif*	G détestent	

*nocif = harmful

a) Beaucoup de Français mangent ☐.

b) Cuisiner à l'huile d'olive est moins ☐.

c) Les Français eux aussi ☐ les fast foods.

d) La cuisine des cantines d'écoles françaises est ☐ qu'en Angleterre.

e) À la cantine en Angleterre on doit manger beaucoup de plats ☐.　　　　(5 marks)

2 Write about 30 words in French on your favourite and least favourite dishes/foods. Remember to give your reasons.　　　　(10 marks)

Score　　/ 15

For more on this topic see pages 56–59 of your Success Guide.　　　　Total score　　/ 25

How well did you do?　　✗ 0–6 Try again　　7–13 Getting there　　14–18 Good work　　19–25 Excellent! ✓

Welcome! 1

A

Choose just one answer: a, b, c or d.

1 'to be wrong' = '.............. tort'
a) faire
b) avoir
c) être
d) aller   (1 mark)

2 'to be right' = 'avoir ...'
a) mal
b) honte
c) peur
d) raison   (1 mark)

3 To say 'we' in French you can use 'nous' or ...
a) tu
b) il
c) on
d) elle   (1 mark)

4 'On' takes the same part of the verb as ...
a) nous
b) je
c) ils
d) il/elle   (1 mark)

5 'we're celebrating' = 'on fait ...'
a) le ménage
b) la fête
c) la vaisselle
d) le tour   (1 mark)

Score   / 5

B

Answer all parts of the question.

1 **Look at the diagrams and the expressions linked to them.**

■ Write the missing infinitives – 'avoir' and 'être' – in the correct speech bubbles.
■ Write the English next to the eight expressions.

a) fatigué = to ....

b) malade = to ....

c) content = to ....

d) triste   = to ....

e) faim   = to ....

f) soif   = to ....

g) chaud   = to ....

h) froid   = to ....

Score   / 10

C

These are GCSE-style questions. Answer all parts of the questions. Continue on separate paper where necessary.

Lisez ce mail de Sara à sa copine française.

> *Salut!*
>
> *Me voilà enfin chez Nina à Rouen en Normandie. J'ai fait un bon voyage en Eurostar. On était un peu en retard, mais c'était bien dans le train. Quand je suis arrivée Nina m'a présenté sa famille. Puis elle m'a montré ma chambre. C'est super! J'étais un peu fatiguée, mais j'ai pris une douche tout de suite. Après, ça allait mieux ... et qu'est-ce que j'avais faim!*
>
> *Après le dîner Nina m'a dit qu'on pouvait sortir, si je voulais, mais j'ai décidé de rester à la maison. Demain on doit se lever tôt pour aller au collège.*
>
> *J'ai offert de petits cadeaux aux parents de Nina, et ils en étaient très contents.*
>
> *Moi aussi, je suis contente d'être ici.*
>
> *Et toi? Ça va?*
>
> *À bientôt!*
>
> *Sara*

1 Choisissez les bons mots pour compléter chaque phrase.

Cochez ✔ la bonne case.

a) Sara est allée

  A) en France ☐   B) en Allemagne ☐   C) en Espagne ☐

b) Elle est

  A) partie en voiture ☐   B) allée en car ☐   C) passée par le Tunnel ☐

c) Elle est ... de sa chambre

  A) mécontente ☐   B) dégoûtée ☐   C) contente ☐

d) Après sa douche elle voulait

  A) manger ☐   B) sortir ☐   C) se reposer ☐

e) Demain Nina et Sara ont

  A) chaud ☐   B) cours ☐   C) soif ☐

(5 marks)

2 Imagine you've just arrived on an exchange visit to France. Send an e-mail to a French friend to say you've arrived. Mention also:

- where you are and how you got there
- what happened when you arrived at your exchange partner's home
- how you felt after your journey
- what the house/flat and your room are like
- what you're doing on the first evening
- what the plans are for tomorrow
- what you think so far of the parents and the exchange.

(25 marks)

Score   / 30

For more on this topic see pages 62–65 of your Success Guide.

Total score   / 45

How well did you do?   ✗ 0–15 Try again   16–25 Getting there   26–35 Good work   36–45 Excellent! ✔

Welcome! 2

A

Choose just one answer: a, b, c or d.

1 'Devoir' and 'il faut' are both used to talk about things you .... to do.
   a) want
   b) need
   c) have
   d) refuse   (1 mark)

2 Both 'devoir' and 'il faut' are usually followed by:
   a) an adjective
   b) a noun
   c) an infinitive
   d) an adverb   (1 mark)

3 'Le 14 juillet, c'est …'
   a) Noël
   b) La Saint-Sylvestre
   c) Le Nouvel An
   d) La Fête Nationale   (1 mark)

4 'Bonne …!'
   a) anniversaire
   b) année
   c) appétit
   d) voyage   (1 mark)

5 'Christmas Eve' = '.............. de Noël'
   a) La veille
   b) L'arbre
   c) Les chants
   d) Le jour   (1 mark)

Score   / 5

B

Answer all parts of the question.

1 Match the drawings to the texts about festivals and celebrations.
Write the correct letter (A–E) in the boxes next to the drawings.

A = à Hannoukah on allume les bougies
B = le Nouvel An chinois
C = la Fête Nationale
D = bon anniversaire
E = l'arbre de Noël

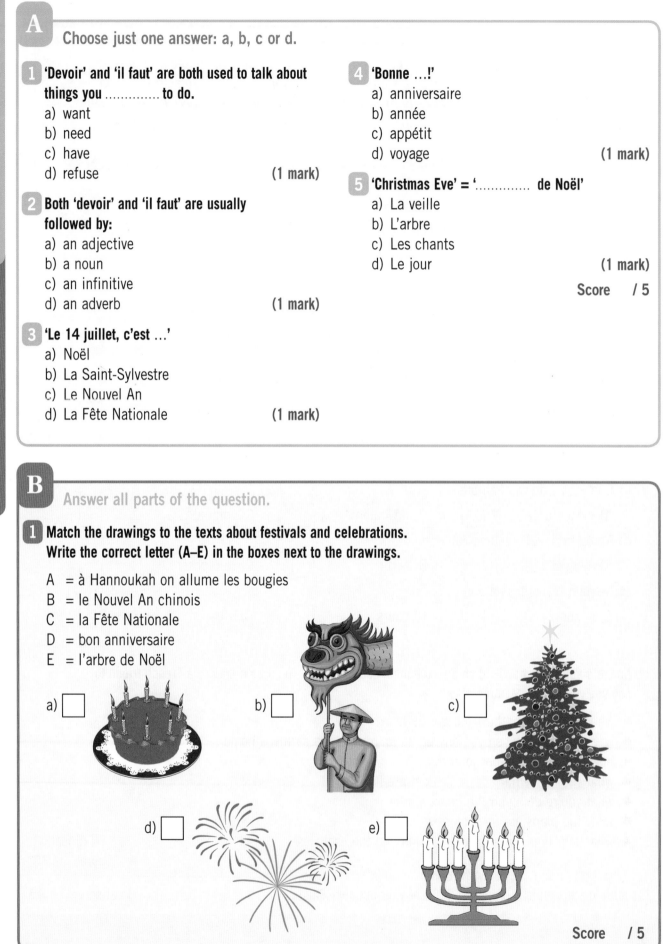

a) ☐

b) ☐

c) ☐

d) ☐

e) ☐

Score   / 5

C These are GCSE-style questions. Answer all parts of the questions. Continue on separate paper where necessary.

Read this advertisement then put a ring round the correct answers in the grid below.

> **Bonne fête …**
>
> - Arbres de Noël – à partir de vingt-cinq euros
> - Cartes de Noël traditionnelles
> - Des centaines de cadeaux de Noël
> - Dans notre pâtisserie …
> - Bûches de Noël – à partir de vingt euros
> - Bougies
> - Feux d'artifice
>
> …Chez Josette

1 Encerclez les bons mots.

a)	Saison	hiver	été	automne
b)	Nom du magasin	Bonne fête	Chez Josette	Célébrer!
c)	Nombre de cadeaux de Noël	10s	100s	1000s
d)	Prix minimum des arbres de Noël	20 euros	25 euros	250 euros
e)	Prix minimum des bûches de Noël	25 euros	250 euros	20 euros

(5 marks)

2 Write about 30 words in French on a festival – Christmas, Hanukka, Diwali, Eid, Chinese New Year – of your choice. Mention:

- what you celebrate
- when you celebrate it
- how you celebrate
- what you think of it.

(5 marks)

Score   / 10

For more on this topic see pages 62–65 of your Success Guide.

Total score   / 20

How well did you do? ✗ 0–5 **Try again**   6–10 **Getting there**   11–15 **Good work**   16-20 **Excellent!** ✓

Food and drink 1

A

Choose just one answer: a, b, c or d.

1 To say 'some' or 'any' in French you use the:
a) definite article
b) indefinite article
c) partitive article
d) personal pronoun   **(1 mark)**

2 'I need some cheese.' =
'Il me faut .... fromage.'
a) du
b) de la
c) de l'
d) des   **(1 mark)**

3 'Have you got any peaches?' =
'Avez-vous .... pêches?'
a) du   b) de la
c) de l'   d) des   **(1 mark)**

4 'I'll take a kilo of them.' =
'J'............. prends un kilo.'
a) y
b) ai
c) en
d) aime   **(1 mark)**

5 'How much are they each?' =
'C'est combien …?'
a) le kilo
b) la pièce
c) le filet
d) la botte   **(1 mark)**

Score   / 5

B

Answer all parts of the question.

1 Match the market produce to the words.

une douzaine d'œufs   a)

un filet de pommes de terre   b)

500 grammes de cerises   c)

une barquette de fraises   d)

une botte de carottes   e)

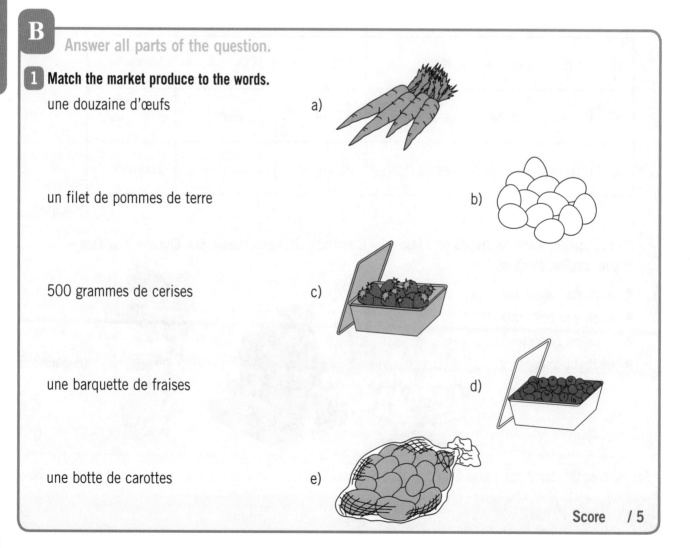

Score   / 5

C These are GCSE-style questions. Answer all parts of the questions. Continue on separate paper where necessary.

Lisez le texte.

> ### Opinion du jour: Élodie et les marchés
>
> *Non seulement les végétariens sont fanatiques des marchés – moi aussi, j'adore les légumes et les fruits frais qu'on trouve partout en France sur nos marchés. Ce que je préfère, c'est les petits pois et le chou-fleur. Je trouve que les haricots verts sont très bons aussi. Mais pour moi le meilleur légume, c'est la courgette. C'est absolument délicieux!*
>
> *Par contre, je n'apprécie pas les radis, et je n'aime pas le goût des artichauts non plus.*
>
> *En fruits, je mange volontiers les fraises, avec leur goût doux mais délicat. Les ananas sont particulièrement bons aussi.*
>
> *Pourtant, je supporte mal les kiwis et les abricots – je crois que j'y suis même allergique! Et les pamplemousses me rendent malade.*
>
> *Élodie, 16 ans*

1 Écrivez dans les cases les lettres des légumes et fruits qu'Élodie aime.

▢ ▢ ▢ ▢ ▢ ▢

A les kiwis　　　　　B les ananas　　　　　C les haricots verts
D les radis　　　　　E les fraises　　　　　F le chou-fleur
G les petits pois　　H les pamplemousses　I les artichauts
J les courgettes　　K les abricots

(6 marks)

2 Maintenant, écrivez dans les cases les lettres des légumes et fruits qu'elle n'aime pas.

▢ ▢ ▢ ▢ ▢

(5 marks)

3 Your father has asked you to buy the following items at the market in France.
Write down what you'll say when ordering them.

ENGLISH	FRANÇAIS
a) I'd like two melons.	Je ....
b) Have you got any grapefruit?	....
c) I'll take three (of them).	J'..
d) I need a kilo of potatoes.	Il ....
e) Give me a punnet of strawberries.	.... (10 marks)

Score　　/ 21

For more on this topic see pages 66–69 of your Success Guide.　　Total score　　/ 31

How well did you do?　　✗ 0–7 Try again　　8–15 Getting there　　16–23 Good work　　24–31 Excellent! ✓

Food and drink 2

A

Choose just one answer: a, b, c or d.

1 'a piece of camembert' =
'un .... de camembert'
a) paquet
b) filet
c) morceau
d) pot   (1 mark)

2 'a slice of ham' = 'une .... de jambon'
a) tranche
b) boîte
c) botte
d) bouteille   (1 mark)

3 'a dozen oysters' = 'une douzaine d'...'
a) agneaux
b) artichauts
c) huîtres
d) oranges   (1 mark)

4 'a bunch of radishes' = 'une .... de radis'
a) botte
b) barquette
c) boîte
d) bouteille   (1 mark)

5 'a pack of butter' = 'un .... de beurre'
a) filet
b) paquet
c) demi-kilo
d) pot   (1 mark)

Score   / 5

B

Answer all parts of the question.

1 Match the supermarket goods to the texts. Draw lines to link the correct text to each drawing.

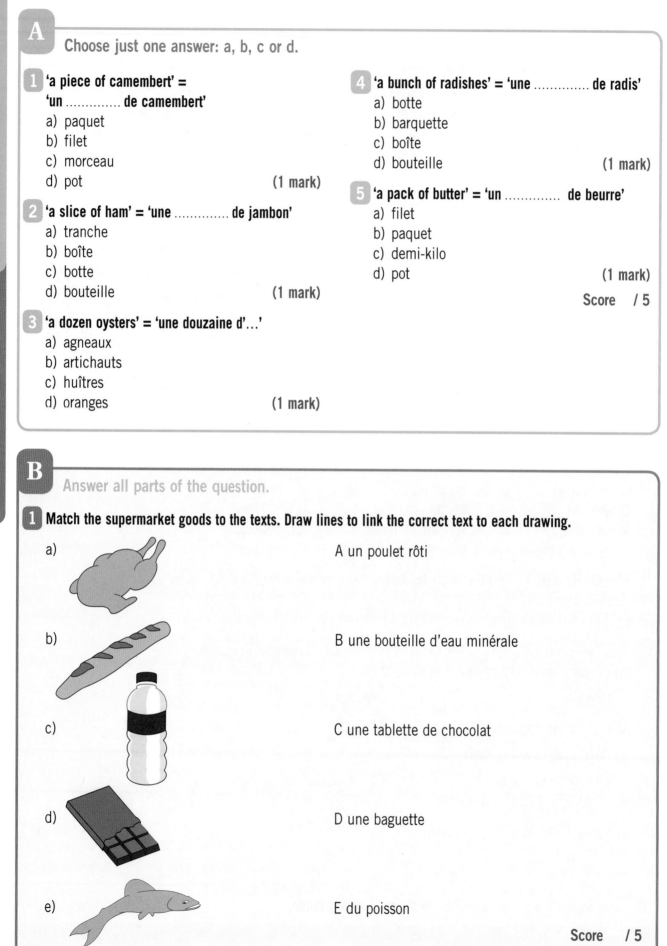

a)   A un poulet rôti

b)   B une bouteille d'eau minérale

c)   C une tablette de chocolat

d)   D une baguette

e)   E du poisson

Score   / 5

C

These are GCSE-style questions. Answer all parts of the questions. Continue on separate paper where necessary.

Regardez ces images.

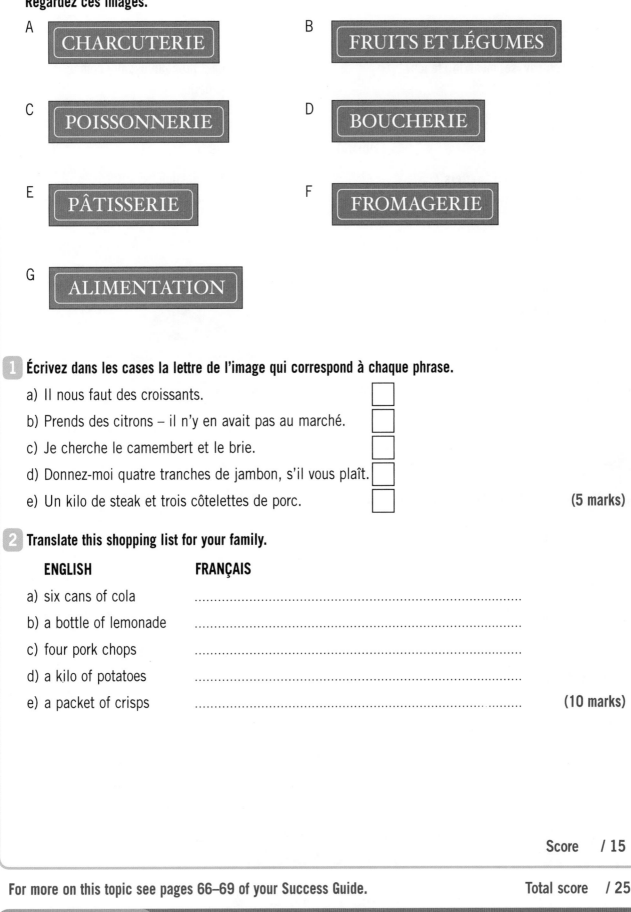

A CHARCUTERIE

B FRUITS ET LÉGUMES

C POISSONNERIE

D BOUCHERIE

E PÂTISSERIE

F FROMAGERIE

G ALIMENTATION

1 Écrivez dans les cases la lettre de l'image qui correspond à chaque phrase.

a) Il nous faut des croissants.

b) Prends des citrons – il n'y en avait pas au marché.

c) Je cherche le camembert et le brie.

d) Donnez-moi quatre tranches de jambon, s'il vous plaît.

e) Un kilo de steak et trois côtelettes de porc.   (5 marks)

2 Translate this shopping list for your family.

ENGLISH	FRANÇAIS
a) six cans of cola	....
b) a bottle of lemonade	....
c) four pork chops	....
d) a kilo of potatoes	....
e) a packet of crisps	.... (10 marks)

Score   / 15

For more on this topic see pages 66–69 of your Success Guide.   Total score   / 25

How well did you do?   ✗ 0–6 **Try again**   7–13 **Getting there**   14–18 **Good work**   19–25 **Excellent!** ✓

Food and drink 3

A

Choose just one answer: a, b, c or d.

1 How do you say 'set meal' in French?
a) menu fixe
b) à la carte
c) tout compris
d) bon appétit (1 mark)

2 What's the French for 'starters'?
a) plats principaux
b) desserts
c) hors d'œuvres
d) apéritifs (1 mark)

3 Complete the question:
'Qu'est-ce que vous prenez .... dessert?'
a) comme
b) pour
c) en
d) au (1 mark)

4 A direct object pronoun usually comes:
a) before a noun
b) after a noun
c) before a verb
d) after a verb (1 mark)

5 Complete the question:
'Et le steak, vous .... voulez comment?'
a) la
b) les
c) l'
d) le (1 mark)

Score / 5

B

Answer all parts of the question.

1 Show your knowledge of restaurant language. Write down the English for these phrases.

a) le plat du jour = ...

b) bien cuit = ...

c) à point = ...

d) Vous voulez l'addition? = ...

e) Les prix sont nets. = ...

Score / 5

64

C These are GCSE-style questions. Answer all parts of the questions. Continue on separate paper where necessary.

Read these restaurant advertisements then answer the questions below in English.

A	**Chez Simone** Cuisine française traditionnelle dans un cadre moderne. Menu touristique et à la carte. Fermé le week-end.
B	**Le Troque-sel** Spécialités poissons et fruits de mer. Pêche du jour. Réservation essentielle. Fermé le lundi.
C	**Au Quick** Restauration rapide à des prix abordables. Ouvert tous les jours de 11h00 à 22h30.
D	**Le Gourmet** Cuisine fine – spécialités régionales et végétariennes. Ouvert du lundi au samedi, 17h30 à 00h00.
E	**Bella Roma** Cuisine italienne. Plats à emporter. Ouvert tous les jours de 10h00 à 22h00.
F	**Le restaurant du port** Spécialités fruits de mer. Plats du jour et menus à la carte à partir de huit euros, prix nets.
G	**Bon appétit** Spécialités volailles et grillades. Fermé le lundi et le jeudi. Réservation recommandée.

1 **Write the letter of the correct restaurant in the boxes.**

a) Where must you book a table? ☐

b) Which restaurant offers quick and cheap meals? ☐

c) Where would you go if you particularly liked meat and poultry dishes? ☐

d) Where can you get a take-away until 10 p.m.? ☐

e) Which restaurant offers seafood dishes and cheap dishes of the day with inclusive prices? ☐

f) Where would you go if you couldn't bear to eat meat or fish? ☐

(6 marks)

2 **Answer an e-mail from your correspondent in which he asked you about your ideal restaurant meal. Complete the details on the e-mail below.**

Salut!
Mon repas idéal au restaurant? Eh bien, voilà …

1. Apéritif: ....

2. Entrée: ....

3. Plat principal: ....

4. Dessert: ....

Et toi? Écris-moi vite!

(4 marks)

Score   / 10

For more on this topic see pages 66–69 of your Success Guide.

Total score   / 20

How well did you do?   ✗ 0–5 **Try again**   6–10 **Getting there**   11–15 **Good work**   16–20 **Excellent!** ✓

At the shops 1

A

Choose just one answer: a, b, c or d.

1 'I'll take this pair of jeans.' =
'Je prends .... jean.'
a) cette
b) ce
c) cet
d) ces   (1 mark)

2 'Vous faites quelle pointure?' means
'What .... are you?'
a) size
b) height
c) age
d) shoe size   (1 mark)

3 Complete the question:
'C'est combien .... chemise-là?'
a) ce
b) cet
c) cette
d) ces   (1 mark)

4 'Vous voulez des chaussures?
Lesquelles – .... ?'
a) ceux-là
b) ceux-ci
c) celles-ci
d) celle-là   (1 mark)

5 'Un blouson? – .... ? Celui-ci ou celui-là?'
a) lequel
b) lesquels
c) laquelle
d) lesquelles   (1 mark)

Score   / 5

B

Answer all parts of the question.

1 Put a ring round the words that match the drawings, and draw a line to link each
drawing with the correct word.

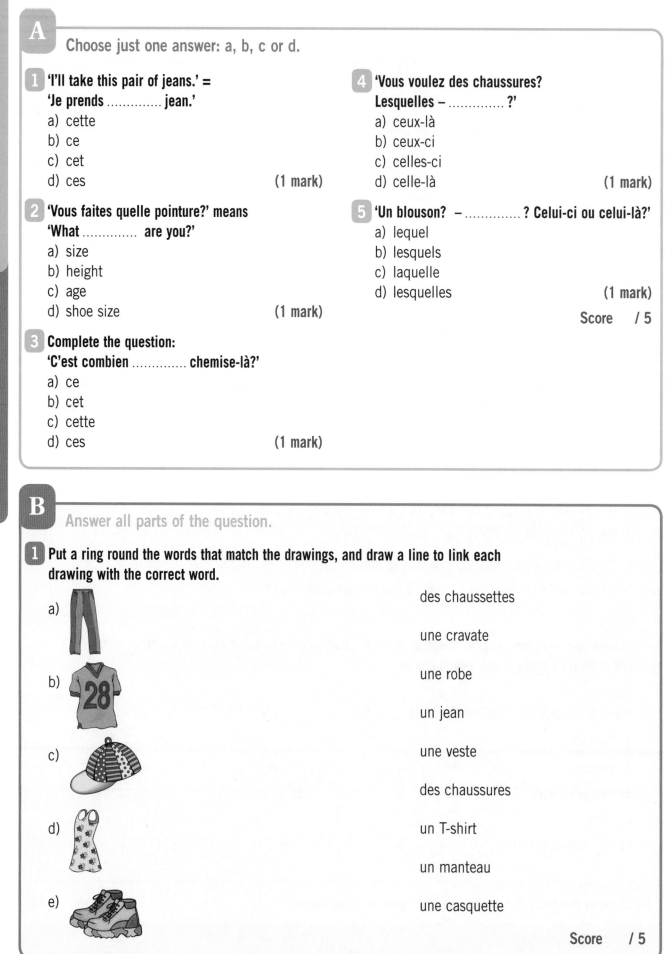

a)

b)

c)

d)

e)

des chaussettes

une cravate

une robe

un jean

une veste

des chaussures

un T-shirt

un manteau

une casquette

Score   / 5

C

These are GCSE-style questions. Answer all parts of the questions. Continue on separate paper where necessary.

1 Read these advertisements for a clothes shop then answer the questions below in English.

- **SOLDES** jusqu'à la fin de mars
- **Au rayon des hommes:** en promotion: vestes en coton.
- **Au rayon des femmes:** Rabais de quinze pourcent sur les manteaux en laine.
- Sacs à main de mode en cuir en promotion.

a) What is happening in this store and for how long?

....

.... **(2 marks)**

b) What is on offer in the men's department?

....

.... **(2 marks)**

c) What is the first offer in the women's department?

....

.... **(3 marks)**

d) What other offer is available here?

....

.... **(3 marks)**

Score   / 10

2 Read this letter from your French correspondent.

Salut toi!
Ce week-end j'ai acheté des vêtements – quel désastre!
La cabine d'essayage était hors de service, alors je n'ai pas essayé les vêtements que j'ai achetés! D'abord j'ai acheté une jolie jupe, puis j'ai trouvé un pantalon en coton, une robe, et enfin j'ai acheté une montre de mode.
Imagine ça – la jupe est trop courte, le pantalon est trop long et la robe est trop petite!
Que je suis idiote!
Et la montre? Elle est très jolie mais un peu chère quand même!
Et toi, tu as acheté des vêtements comme ça?
J'espère que tu n'es pas aussi bête que moi!
Bisous,
Florence

Answer the letter saying that you, too, have had a bad shopping day. Say what you bought and what's wrong with the items:

- jeans (too long)
- jumper (too short)
- shirt (too expensive)
- trainers (too small)
- swimming costume (fine … but you don't like the colour).   **(15 marks)**

Score   / 25

For more on this topic see pages 70–73 of your Success Guide.   Total score   / 35

| How well did you do? | ✗ | 0–9 Try again | 10–18 Getting there | 19–27 Good work | 28–35 Excellent! | ✓ |

At the shops 2

A

Choose just one answer: a, b, c or d.

1 **How do you say 'postbox' in French?**
a) poste
b) enveloppe
c) boîte à lettres
d) cabine téléphonique   (1 mark)

2 **Two stamps at 30 cents' =**
'deux .... à 30 centimes d'euros'
a) paquets
b) timbres
c) pièces
d) livres   (1 mark)

3 **'Je voudrais changer un .... de voyage.'**
a) billet
b) paquet
c) chèque
d) timbre   (1 mark)

4 **'Vous avez une .... de cinq euros?'**
a) livre
b) boîte
c) pièce
d) carte   (1 mark)

5 **'I'd like to have this skirt cleaned.' =**
'Je voudrais .... nettoyer cette jupe.'
a) avoir
b) changer
c) remplacer
d) faire   (1 mark)

Score   / 15

B

Answer all parts of the question.

1 **Match the drawings to the texts.**

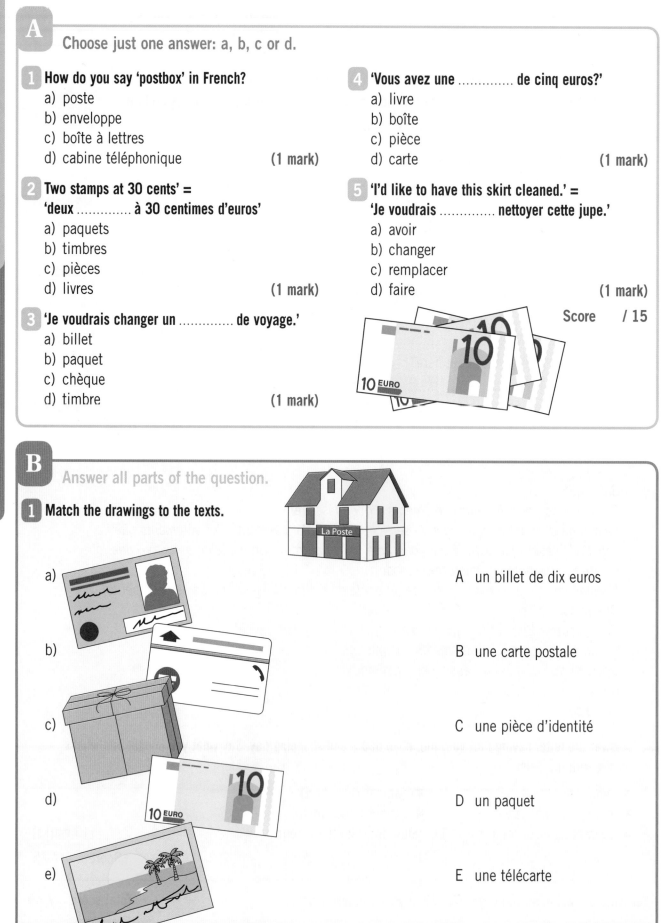

a)

b)

c)

d)

e)

A   un billet de dix euros

B   une carte postale

C   une pièce d'identité

D   un paquet

E   une télécarte

Score   / 5

68

C

These are GCSE-style questions. Answer all parts of the questions. Continue on separate paper where necessary.

1 Vous êtes dans une cabine téléphonique. Mettez les instructions dans le bon ordre.

A Raccrochez.

B Attendez la tonalité.

C Composez le numéro.

D Retirez la télécarte.

E Introduisez la télécarte.

F Décrochez.

Écrivez la bonne lettre dans les cases. ☐ ☐ ☐ ☐ ☐ ☐

(6 marks)

2 Regardez ces images.

A

B

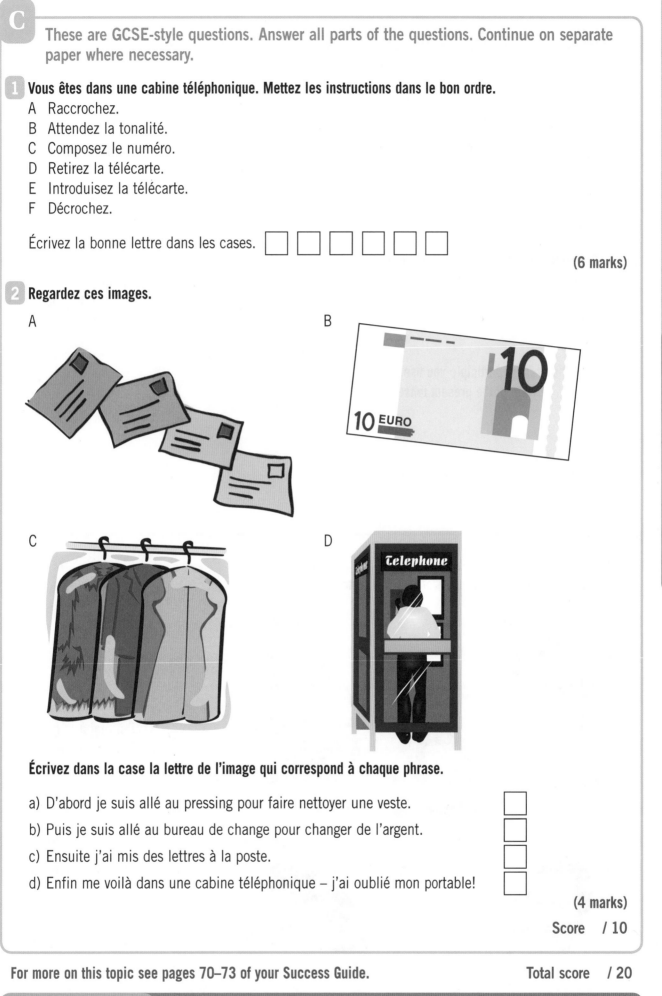

C

D

Écrivez dans la case la lettre de l'image qui correspond à chaque phrase.

a) D'abord je suis allé au pressing pour faire nettoyer une veste. ☐

b) Puis je suis allé au bureau de change pour changer de l'argent. ☐

c) Ensuite j'ai mis des lettres à la poste. ☐

d) Enfin me voilà dans une cabine téléphonique – j'ai oublié mon portable! ☐

(4 marks)

Score / 10

For more on this topic see pages 70–73 of your Success Guide.

Total score / 20

How well did you do? ✗ 0–5 Try again 6–10 Getting there 11–15 Good work 16–20 Excellent! ✓

Problems! 1

A

Choose just one answer: a, b, c or d.

1 The present participle in English usually ends in:
a) -ed
b) -es
c) -ing
d) -ish
(1 mark)

2 In French the present participle ending is:
a) -ans
b) -ant
c) -en
d) -ent
(1 mark)

3 To form the present participle you use the .... form of the present tense.
a) vous
b) je
c) ils
d) nous
(1 mark)

4 Which word is often used with the present participle?
a) en
b) pour
c) dans
d) à
(1 mark)

5 Find the missing present participle:
'Je me suis blessé en .... sur la glace.'
a) tombant
b) tombé
c) tomber
d) tombe
(1 mark)

Score   / 5

B

Answer all parts of the question.

1 Tell us where it hurts. Join the words to the matching drawings.

a)

b)

c)

d)

e)

A   J'ai mal aux dents.

B   J'ai mal à la gorge.

C   J'ai mal au dos.

D   J'ai mal à l'oreille.

E   J'ai mal à l'estomac.

Score   / 5

C These are GCSE-style questions. Answer all parts of the questions. Continue on separate paper where necessary.

Lisez le texte.

> *Salut!*
> *Comment vas-tu? Moi, ça ne va pas du tout! Je me sens malade. Je crois que j'ai la grippe. J'ai la fièvre et j'ai très mal à la tête aussi. En plus, j'ai chaud et j'ai soif tout le temps. Ma mère m'a acheté des comprimés à la pharmacie, mais ça ne sert à rien.*
> *Oh, que j'ai mal au dos!*
> *Je ne peux pas sortir ce week-end avec les copains – c'est moche, hein?*
> *Oh, mais attends! Si je suis encore malade lundi matin, je ne pourrai pas aller en cours! Ah, quand même – tout n'est pas perdu, alors!*
> *À bientôt!*
> *Francine*

1 **Répondez en français aux questions.**

a) Comment se sent-elle, Francine?

....

....

(2 marks)

b) Quels sont les symptômes de la grippe, selon Francine?

....

....

....

(4 marks)

c) Qui est allé à la pharmacie?

....

(1 mark)

d) Qu'est-ce que Francine ne pourra pas faire samedi ou dimanche?

....

(1 mark)

e) Qu'est-ce qui arrivera si elle est encore malade après le week-end?

....

(2 marks)

2 **Make notes in preparation for a visit to the doctor in France. Tell the doctor:**

- you fell over playing basketball
- you think you've broken your foot
- your hands hurt
- your back is sore, too.

(10 marks)

Score   / 20

For more on this topic see pages 74–77 of your Success Guide.   Total score   / 30

How well did you do?   ✗ 0–8 **Try again**   9–15 **Getting there**   16–22 **Good work**   23–30 **Excellent!** ✓

Problems! 2

A

Choose just one answer: a, b, c or d.

1 Which of the following are direct object pronouns?
a) y, en
b) lui, leur
c) le, la, les
d) eux, elles   **(1 mark)**

2 The direct object pronoun in the perfect tense usually goes:
a) at the start of the sentence
b) after the auxiliary
c) before the auxiliary
d) at the end of the sentence   **(1 mark)**

3 What can change in the perfect tense depending on the direct object pronoun?
a) the past participle
b) the present participle
c) the infinitive
d) the noun   **(1 mark)**

4 'Où est ma montre? Je l'ai ...'
a) perdu
b) perdues
c) perdus
d) perdue   **(1 mark)**

5 'Et mes livres? Je .... ai oubliés!'
a) les
b) l'
c) la
d) le   **(1 mark)**

Score   / 5

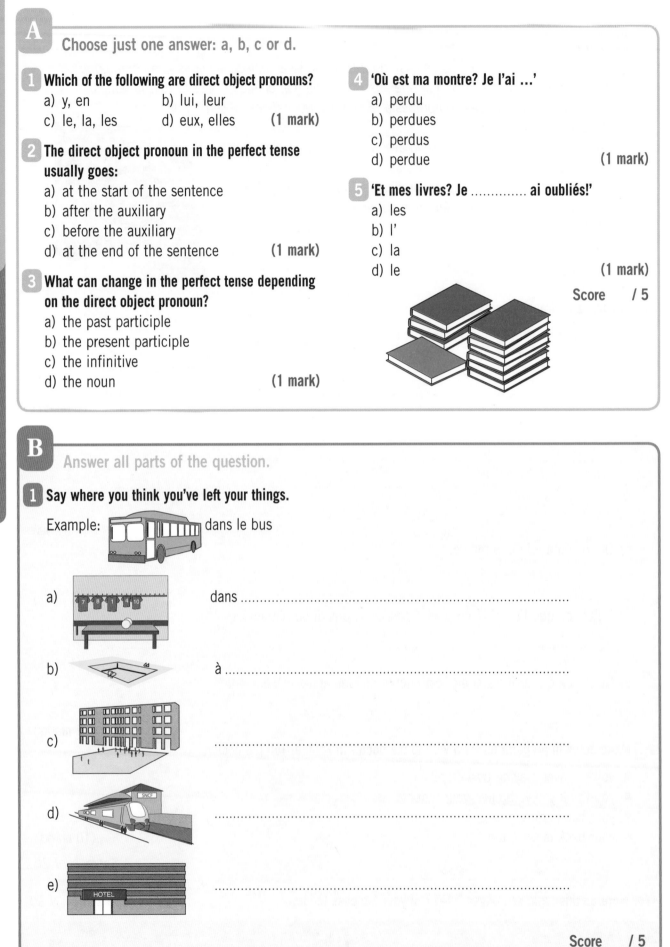

B

Answer all parts of the question.

1 Say where you think you've left your things.

Example: dans le bus

a)   dans ....

b)   à ....

c)   ....

d)   ....

e)   ....

Score   / 5

C

These are GCSE-style questions. Answer all parts of the questions. Continue on separate paper where necessary.

Lisez cette lettre.

Hôtel Métropole
Cours du Port
33390 BLAYE

Dieppe, mercredi 3 septembre

Monsieur,

Pouvez-vous m'aider? Je crois que j'ai laissé quelques-unes de mes affaires à l'hôtel la semaine dernière. J'avais la chambre 304 au troisième étage, en face de l'ascenseur. Est-ce que vous avez trouvé mon sac de sports sous le lit? Il est bleu et jaune et il est en cuir. Dedans il y a mes baskets noires et blanches, et ma raquette de tennis. J'y ai laissé aussi mon maillot rouge et blanc et mon short vert.

Si le sac n'est pas sous le lit, je l'ai peut-être laissé dans la salle de musculation au deuxième étage.

Je vous prie, Monsieur, de croire à l'assurance de mes sentiments les meilleurs.

Michel Simon

1 Answer the questions in English.

a) In what month was Michel at the hotel?

.... (1 mark)

b) Where was his room?

.... (2 marks)

c) Where does he suggest his missing sports bag would most likely be?

.... (1 mark)

d) How does he describe it?

.... (3 marks)

e) What red and white item should also be in the bag?

.... (1 mark)

f) Where else might they find his sports bag in the hotel?

.... (2 marks)

2 Write a letter to the manager of the Hôtel de France. Remember to mention all the points about your lost property.

- Say you've lost your suitcase.
- Describe it.
- Ask: did I leave it in the hotel, in my room or in the lift?
- Describe its contents. (15 marks)

Score / 25

For more on this topic see pages 74–77 of your Success Guide.

Total score / 35

How well did you do? ✗ 0–9 Try again 10–18 Getting there 19–26 Good work 27–35 Excellent! ✓

73

Problems! 3

A

Choose just one answer: a, b, c or d.

1 The pluperfect tense describes events that:
a) have happened
b) were happening
c) had happened
d) will happen (1 mark)

2 It is often used with the word for 'already', which is:
a) ensuite
b) déjà
c) bientôt
d) enfin (1 mark)

3 As with the perfect tense, most pluperfect tense verbs are .... verbs.
a) être
b) irregular
c) impersonal
d) avoir (1 mark)

4 'I had telephoned' = 'j'.............. téléphoné'
a) avais
b) allais
c) étais
d) aimais (1 mark)

5 'L'ambulance était ...'
a) arrivés
b) arrivé
c) arrivée
d) arrivées (1 mark)

Score / 5

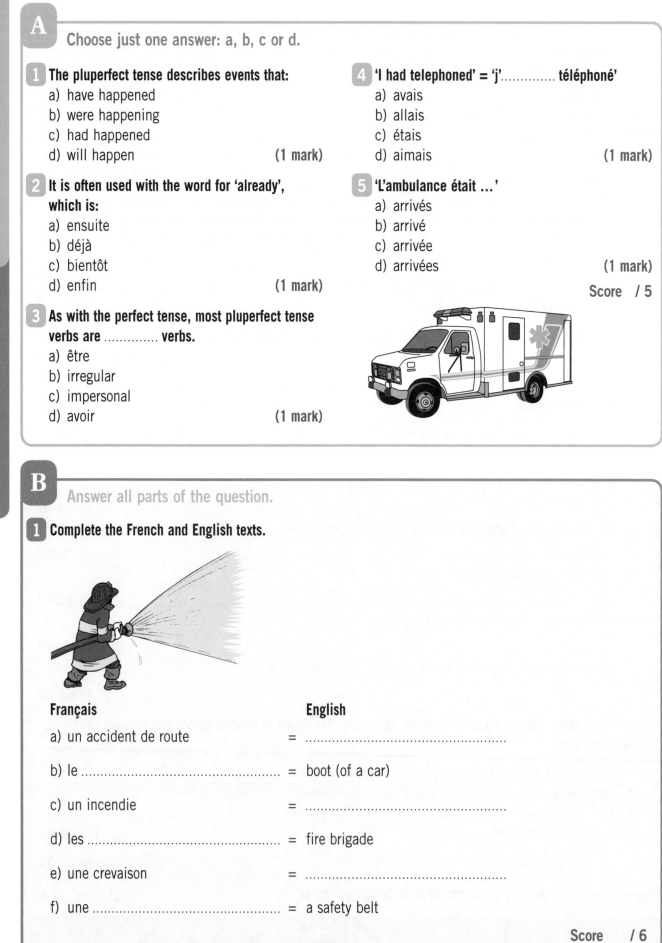

B

Answer all parts of the question.

1 Complete the French and English texts.

Français	English
a) un accident de route	= ....
b) le	= boot (of a car)
c) un incendie	= ....
d) les	= fire brigade
e) une crevaison	= ....
f) une	= a safety belt

Score / 6

74

C These are GCSE-style questions. Answer all parts of the questions. Continue on separate paper where necessary.

Lisez ce texte sur un accident de route.

> *'Je croyais que la voiture était tombée en panne. Puis j'ai remarqué qu'elle avait heurté un gros arbre. Il n'y avait personne dans la voiture, le conducteur était déjà descendu, sans doute parce qu'il avait eu peur ... ça sentait l'essence et la voiture était en flammes. J'ai cherché partout et je l'ai trouvé enfin à 30 mètres de la route derrière un arbre. Il était tombé par terre. Je crois qu'il s'était cassé le bras. Il m'a dit qu'il avait mal au dos aussi. Il ne voulait pas parler de l'accident. Je l'ai aidé un peu, puis j'ai appelé les services d'urgence. L'ambulance est arrivée la première, suivie par les sapeurs-pompiers dix minutes plus tard.'*

1 Cochez ✔ **les cinq phrases correctes.**

a) Ce témoin a vu un accident de poids lourd. ☐

b) La voiture n'était pas tombée en panne. ☐

c) Le conducteur avait cru que la voiture allait exploser. ☐

d) La voiture se trouvait à trente mètres de la route. ☐

e) Le conducteur a refusé de discuter de ce qui était arrivé. ☐

f) Avant de téléphoner à la police le témoin s'est occupé du conducteur. ☐

g) Les sapeurs-pompiers sont arrivés sur scène après l'ambulance. ☐   **(5 marks)**

2 Make a statement about an accident you've witnessed. Say:

■ you've seen a traffic accident

■ the car skidded

■ then it hit the fence/barrier

■ a lorry also skidded and hit the other vehicle

■ you called the police and helped the driver of the car

■ the fire brigade arrived a quarter of an hour later.   **(14 marks)**

Score   / 19

For more on this topic see pages 74–77 of your Success Guide.   Total score   / 30

How well did you do?   ✗ 0–8 Try again   9–15 Getting there   16–21 Good work   22–30 Excellent! ✔

The future 1

A

Choose just one answer: a, b, c or d.

1 The most common form of the future in French is 'aller + ...'
a) past participle
b) infinitive
c) adjective
d) noun **(1 mark)**

2 'I'm going to go on holiday.' =
'Je vais .... en vacances.'
a) partirai b) pars
c) partir d) parti **(1 mark)**

3 To form the shorter version of the future tense, add the present tense endings of .... to the infinitive.
a) être b) aller
c) faire d) avoir **(1 mark)**

4 'I'll stay at home.' =
'Je .... à la maison.'
a) resté
b) restais
c) resterai
d) resterais **(1 mark)**

5 'Will you do a course?' =
'Tu .... un stage?'
a) feras
b) ferais
c) faisais
d) fais **(1 mark)**

Score / 5

B

Answer all parts of the question.

1 Become a weather forecaster. Say what the weather will be this weekend.
Look at the drawings and write the weather expressions alongside in the future tense.

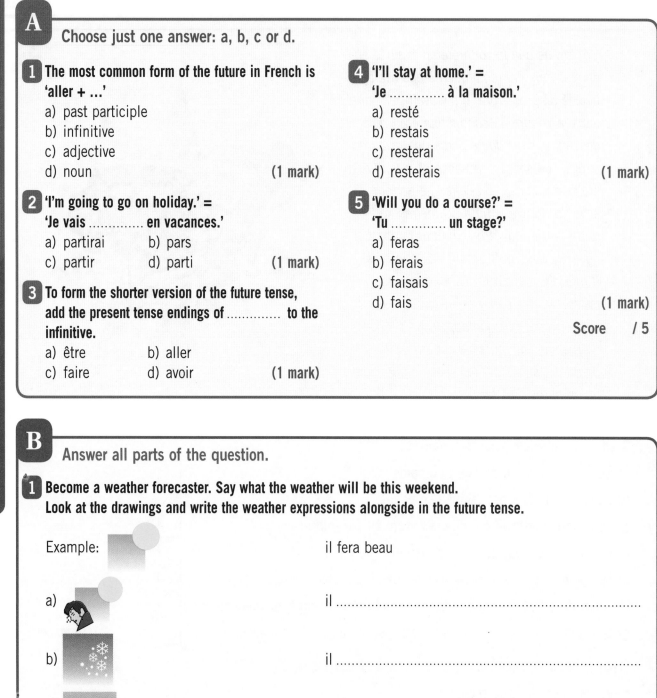

Example: il fera beau

a) il ....

b) il ....

c) il ....

d) il ....

e) il ....

f) il ....

Score / 6

C

These are GCSE-style questions. Answer all parts of the questions. Continue on separate paper where necessary.

Lisez les interviews.

> INTERVIEW DE LA SEMAINE:
>
> Que feras-tu après le collège?
>
> Amélie:
>
> Je n'en suis pas sûre. Peut-être que je préparerai le bac. Sinon je chercherai un emploi.
>
> Ben:
>
> Je ne continuerai pas mes études. Je partirai en vacances quand j'aurai assez d'argent. D'abord je passerai quelque temps avec mes copains.
>
> Corinne:
>
> Après le bac j'irai en faculté. Puis, après l'université je me marierai … mais pas avant l'âge de 25 ans. Nous aurons beaucoup d'enfants.
>
> David:
>
> Je ferai le tour du monde peut-être. Pour payer le voyage je chercherai du travail en route, un peu partout dans le monde. Puis je reviendrai à la maison.

1 **Écrivez V (vrai), F (faux), ou ? (on ne sait pas) à côté de chaque phrase.**

a) Amélie continuera ses études peut-être. ☐

b) Elle ne voudra pas travailler du tout. ☐

c) Ben n'ira ni en terminal ni à l'université. ☐

d) Il aura bientôt assez d'argent pour partir en vacances. ☐

e) Corinne sera étudiante. ☐

f) Elle n'a aucune idée de ce qu'elle fera ensuite. ☐

g) David a l'intention de voyager. ☐

h) Il devra travailler d'abord sinon il ne pourra pas partir. ☐

i) Il finira par rentrer chez lui. ☐

(9 marks)

2 **Send your French correspondent an e-mail predicting what you will and won't do after your exams. Say:**

- whether or not you'll leave school
- if you'll continue studying or look for a job/occupation
- where you will go and for how long
- who you'll spend time with
- whether you'll get married or not.

(10 marks)

Score   / 19

For more on this topic see pages 80–83 of your Success Guide.   Total score   / 30

The future 2

A

Choose just one answer: a, b, c or d.

1 The key word that helps you to spot the conditional is:
a) will
b) won't
c) would
d) did   (1 mark)

2 The endings of the conditional in French are the same as those in the .... tense.
a) present
b) perfect
c) imperfect
d) future   (1 mark)

3 The commonly used expression 'je voudrais' means the same as 'j'...'
a) aurais
b) irais
c) entrerais
d) aimerais   (1 mark)

4 The conditional is often used with another clause that starts with:
a) quand
b) où
c) si
d) parce que   (1 mark)

5 'If I were rich I wouldn't work.' = 'Si j'étais riche je ne .... pas.'
a) travaillerais
b) travaillais
c) travaille
d) travaillerai   (1 mark)

Score   / 5

B

Answer all parts of the question.

1 Look at the texts about different types of work and at the jumbled drawings. Draw lines from each text to the correct picture.

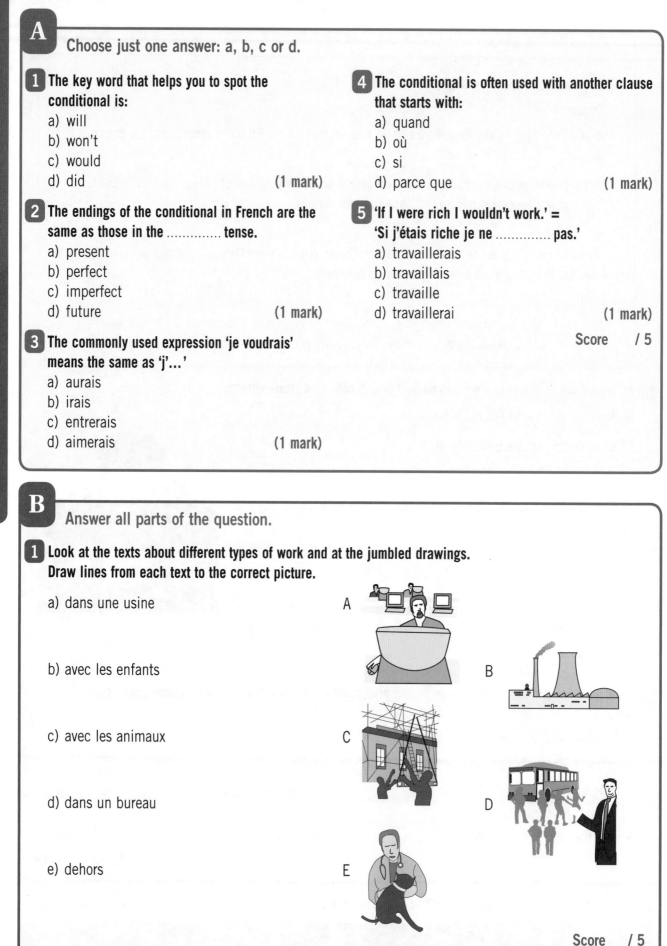

a) dans une usine

b) avec les enfants

c) avec les animaux

d) dans un bureau

e) dehors

A

B

C

D

E

Score   / 5

78

C These are GCSE-style questions. Answer all parts of the questions. Continue on separate paper where necessary.

Regardez les images.

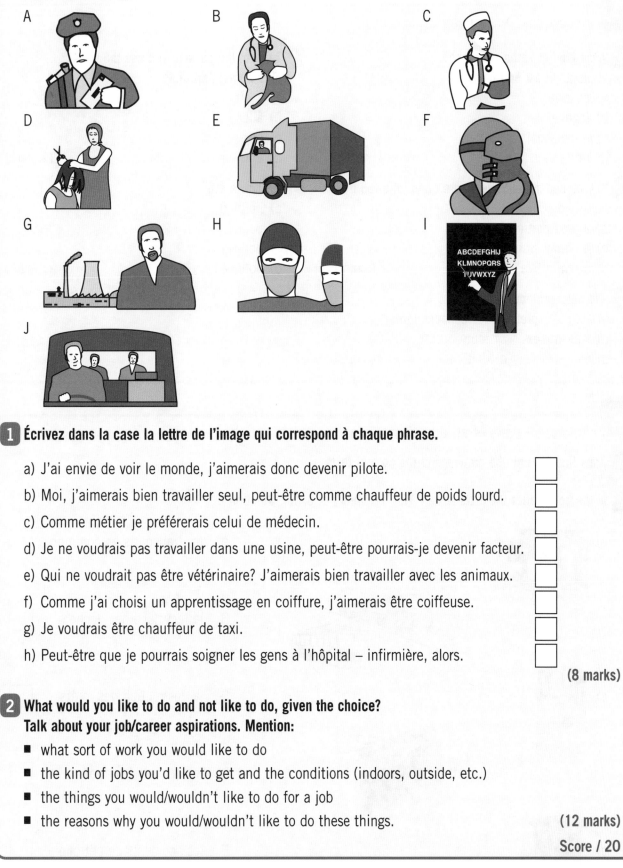

A

B

C

D

E

F

G

H

I

ABCDEFGHIJ
KLMNOPQRS
TUVWXYZ

J

1 Écrivez dans la case la lettre de l'image qui correspond à chaque phrase.

a) J'ai envie de voir le monde, j'aimerais donc devenir pilote.

b) Moi, j'aimerais bien travailler seul, peut-être comme chauffeur de poids lourd.

c) Comme métier je préférerais celui de médecin.

d) Je ne voudrais pas travailler dans une usine, peut-être pourrais-je devenir facteur.

e) Qui ne voudrait pas être vétérinaire? J'aimerais bien travailler avec les animaux.

f) Comme j'ai choisi un apprentissage en coiffure, j'aimerais être coiffeuse.

g) Je voudrais être chauffeur de taxi.

h) Peut-être que je pourrais soigner les gens à l'hôpital – infirmière, alors.

(8 marks)

2 What would you like to do and not like to do, given the choice?
Talk about your job/career aspirations. Mention:

- what sort of work you would like to do
- the kind of jobs you'd like to get and the conditions (indoors, outside, etc.)
- the things you would/wouldn't like to do for a job
- the reasons why you would/wouldn't like to do these things.

(12 marks)

Score / 20

For more on this topic see pages 80–83 of your Success Guide.   Total score   / 30

How well did you do?   ✗ 0–8 **Try again**   9–15 **Getting there**   16–21 **Good work**   22–30 **Excellent!** ✓

Our world 1

A

Choose just one answer: a, b, c or d.

1 What kind of verbs are these?
'Il pleut.' 'Il est huit heures.'
a) passive
b) regular
c) impersonal
d) reflexive   (1 mark)

2 'Il faut' and 'il vaut mieux' are often followed by:
a) an adjective
b) a past participle ·
c) a preposition
d) an infinitive   (1 mark)

3 'We must protect rare species.' =
'Il .... protéger les espèces rares.'
a) vaut mieux   b) faut
c) va   d) doit   (1 mark)

4 To form the passive you use the verb '.............'
plus a past participle.
a) avoir
b) aller
c) être
d) pouvoir   (1 mark)

5 'La mer a été ...'
a) polluée
b) pollué
c) pollués
d) polluées   (1 mark)

Score   / 5

B

Answer all parts of all questions.

1 Draw lines to link the drawings to the correct texts.

2 In the boxes after the texts write P (for 'Problem') or S (for 'Solution').

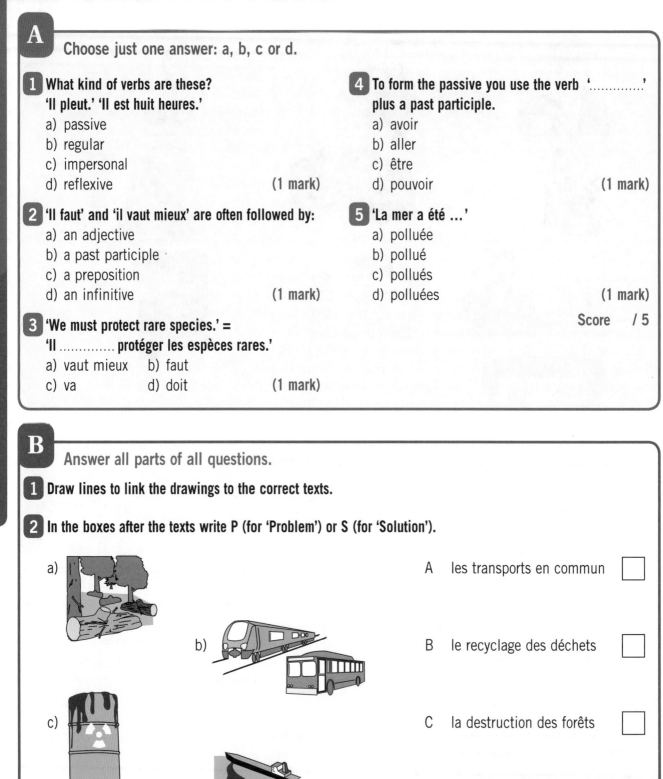

a)

b)

c)

d)

e)

A   les transports en commun ☐

B   le recyclage des déchets ☐

C   la destruction des forêts ☐

D   les déchets toxiques ☐

E   les accidents de pétroliers ☐

Score   / 10

C This is a GCSE-style question. Answer all parts of the question. Continue on separate paper where necessary.

Read the text on environmental issues.

Écologie ou économie?

Tout le monde se dit 'écologiste' au moment où il faut faire face aux effets des accidents de pétroliers. Personne ne veut pourtant accepter la responsabilité de la mort des plantes et des oiseaux de mer. Quant à l'horreur des plages recouvertes de pétrole pendant la haute saison touristique, n'en parlons plus!

Et la pollution de l'atmosphère par les voitures et les usines? Pour lutter contre la pollution atmosphérique beaucoup de Français disent qu'ils seraient prêts à utiliser moins leurs voitures en faveur des transports en commun. Pourquoi donc nos routes sont-elles de plus en plus encombrées de voitures?

Qui accepterait la disparition des espèces rares et la destruction des forêts amazoniennes? Personne, bien sûr, mais en fait les espèces rares continuent à diminuer et on continue à exporter le bois dur vers les pays riches de l'ouest.

On apprécie vite les avantages du nucléaire. Qui accepte pourtant la responsabilité des dangers de la radioactivité des déchets nucléaires?

En plus, la plupart des 'bons citoyens' ne trouvent même pas le temps de recycler leurs déchets.

Quelle est la cause de tous ces problèmes écologiques? L'argent pur et simple.

À qui la faute? Au gouvernement? Aux industriels? À l'individu?

Ne soyons pas hypocrites – tout le monde se dit 'écologiste' mais agit avant tout comme 'économiste'. Et si on comprenait cette simple formule: la mauvaise écologie = la mauvaise économie.

1 Answer the questions in English.

a) What events make people claim they are really aware of the need to protect the environment?

.... (1 mark)

b) Name the three immediate effects of such events mentioned in this article.

.... (3 marks)

c) Who is most obviously affected during the summer months by these events?

.... (1 mark)

d) How do many French citizens claim they would be prepared to fight pollution?

.... (2 marks)

e) What two further environmental problems continue despite public opposition?

.... (2 marks)

f) What do the 'good citizens' still not manage to do?

.... (1 mark)

g) What does the author think is to blame for all of these problems?

.... (1 mark)

h) Who should consider taking responsibility?

.... (3 marks)

i) What does the author say 'bad ecology' leads to?

.... (1 mark)

Score   / 15

For more on this topic see pages 84–87 of your Success Guide.   Total score   / 30

How well did you do?   ✗ 0–8 Try again   9–15 Getting there   16–21 Good work   22–30 Excellent! ✓

Our world 2

A   Choose just one answer: a, b, c or d.

1 You can often avoid using the passive by using which personal pronoun?
a) je
b) ils
c) on
d) tu   (1 mark)

2 'La couche d'ozone a été percée.' =
'.............. la couche d'ozone.'
a) On a percé
b) On percera
c) On perçait
d) On perce   (1 mark)

3 'it was necessary' = 'il ...'
a) faudra
b) faut
c) faudrait
d) fallait   (1 mark)

4 'On peut .... tôt.'
a) se coucher
b) garder
c) sauver
d) éviter   (1 mark)

5 'On .... garder la forme.'
a) a
b) est
c) doit
d) faut   (1 mark)

Score   / 5

B   Answer all parts of the question.

1 Read the seven statements about good citizenship, then write **P** (for 'Positive')
or **N** (for 'Negative') in the boxes below.

The first one has been done for you.

a) On ne doit pas prendre de l'exercice.   **N**

b) Il faut manger sain.

c) On peut se coucher tôt.

d) Il faut éviter la drogue.

e) On peut consommer beaucoup d'alcool.

f) On doit refuser le tabac.

g) On ne doit pas garder la forme.

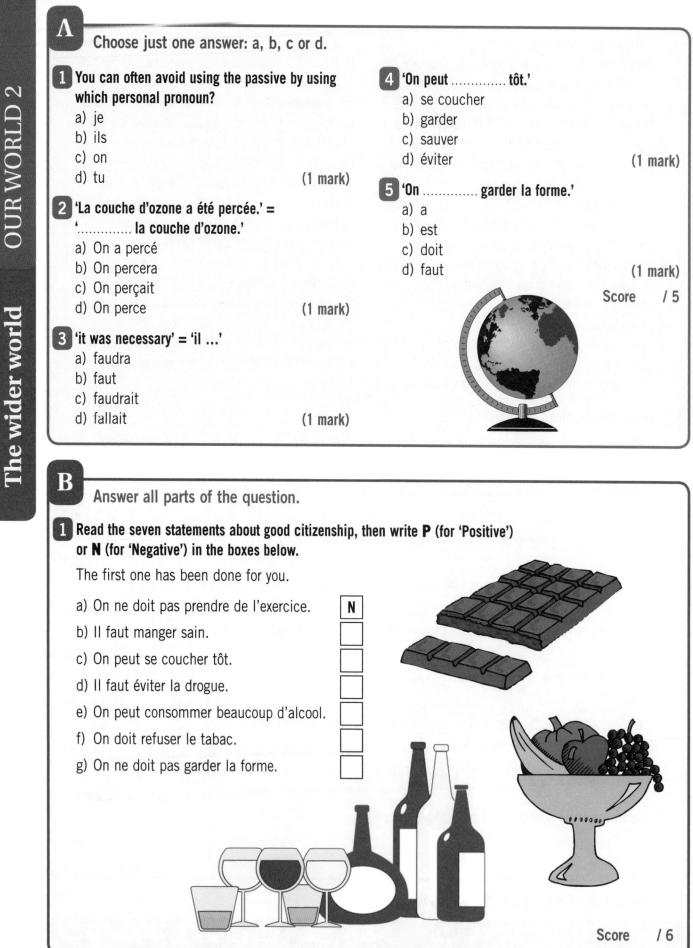

Score   / 6

C

These are GCSE-style questions. Answer all parts of the questions. Continue on separate paper where necessary.

Lisez ces textes.

La forme, les habitudes, la société

A   *À mon avis il faut garder la forme si on veut être bon citoyen. C'est-à-dire, éviter les mauvaises habitudes, manger sain et prendre de l'exercice.*
Alima, 16 ans

B   *Je ne prends pas souvent de l'exercice et je ne mange pas toujours sain – j'adore le chocolat et je mange au fast-food de temps en temps. À part ça je n'ai pas de mauvaises habitudes, alors je me considère comme bonne citoyenne!*
Bérenger, 15 ans

C   *Pour moi, les plus grands problèmes de la société sont ceux des adultes. Les jeunes en gros ne s'intéressent ni à l'alcool ni à la drogue. Voilà pourquoi je ne me sens pas stressé. Il faut suivre l'exemple des jeunes!*
Christian, 17 ans

D   *Les adultes nous disent de nous lever et de nous coucher tôt, et d'éviter toutes les mauvaises habitudes. Il faut garder la forme aussi, selon nos parents. Mais faire tout cela ne veut pas dire qu'on soit bon citoyen. Il faut considérer les autres – il vaut mieux essayer de résoudre les grands problèmes de la société, comme les problèmes écologiques et l'injustice de la société.*
Daniel, 15 ans

E   *La vie adulte, c'est stressant, mais pas tous les adultes font de mauvais citoyens. Beaucoup de jeunes ont de très mauvaises habitudes aussi.*
Énora, 18 ans

1 **Écrivez la bonne lettre dans la case.**

a) Qui trouve que les adultes ne font pas de bons citoyens? ☐

b) Qui n'a pas la bonne forme mais n'a pas mauvaise conscience non plus? ☐

c) Qui veut faire face aux problèmes sociaux? ☐

d) Qui veut garder la forme avant tout? ☐ (4 marks)

2 **Écrivez un paragraphe sur 'le bon citoyen'. Mentionnez:**

■ ce qu'il faut faire et ce qu'il ne faut pas faire

■ ce qu'il vaut mieux faire. (15 marks)

Score   / 19

For more on this topic see pages 84–87 of your Success Guide.   Total score   / 30

How well did you do?   ✗ 0–8 **Try again**   9–15 **Getting there**   16–21 **Good work**   22–30 **Excellent!** ✓

Which way to go? 1

A

Choose just one answer: a, b, c or d.

1 **The relative pronouns 'qui' and 'que' replace:**
   a) a verb
   b) a noun or a pronoun
   c) an adjective
   d) a preposition   (1 mark)

2 **'C'est le bac littéraire .... m'intéresse.'**
   a) qui
   b) que
   c) qu'
   d) ce qui   (1 mark)

3 **'C'est le bac hôtellerie .... je déteste.'**
   a) qui
   b) que
   c) qu'
   d) ce qui   (1 mark)

4 **'Ce qui' and 'ce que' replace:**
   a) a noun or a pronoun
   b) an adjective
   c) a preposition
   d) a whole sentence or a clause   (1 mark)

5 **'............. est bien, c'est que je vais passer un bac sciences.'**
   a) Ce que
   b) Ce qu'
   c) Ce qui
   d) Qui   (1 mark)

Score   / 5

B

Answer all parts of the question.

1 **What A Level/Higher courses are mentioned here?**
   Link the texts to the drawings.

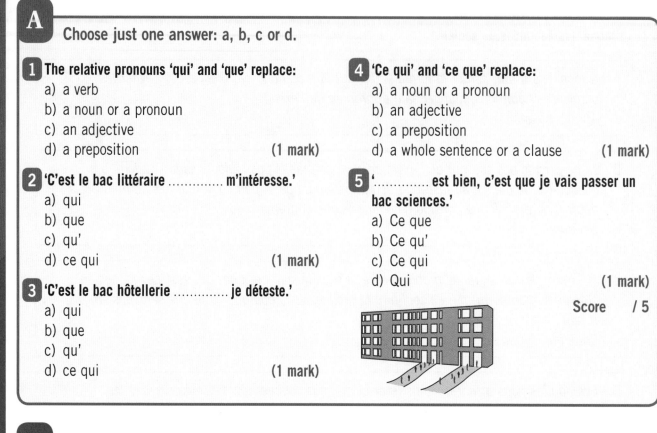

   a) Je vais passer un bac technologie.   A

   b) Tu vas passer un bac médecine?   B

   c) Je ferai un bac sciences.   C

   d) Elle a choisi un bac technologie
      de musique et de la danse.   D

   e) Tu veux faire un bac hôtellerie?   E

Score   / 5

C These are GCSE-style questions. Answer all parts of the questions. Continue on separate paper where necessary.

Lisez ce mail.

> *Salut!*
>
> *Non, je n'ai pas décidé encore ce que je vais faire après le collège, mais je crois que je vais essayer d'avoir mon bac. Je n'aimerais pas chercher un emploi tout de suite. Il vaut mieux aller en fac, n'est-ce pas? Ce qui m'intéresserait, ça serait un bac techno, comme je m'intéresse beaucoup à l'informatique.*
>
> *Puis, après la fac, je pourrais peut-être travailler dans les télécommunications.*
>
> *Vincent*

1 Complétez les phrases: écrivez dans les cases la lettre du mot qui correspond.

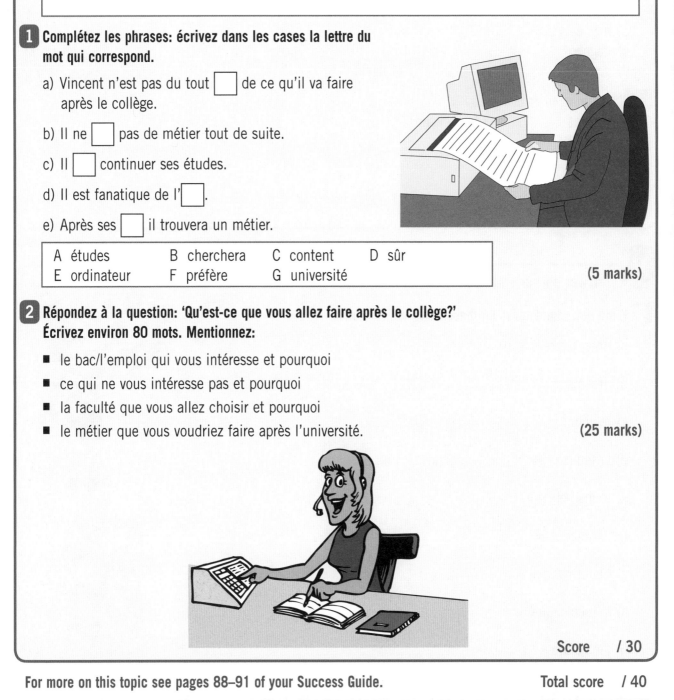

a) Vincent n'est pas du tout ☐ de ce qu'il va faire après le collège.

b) Il ne ☐ pas de métier tout de suite.

c) Il ☐ continuer ses études.

d) Il est fanatique de l' ☐ .

e) Après ses ☐ il trouvera un métier.

A études	B cherchera	C content	D sûr
E ordinateur	F préfère	G université	

(5 marks)

2 Répondez à la question: 'Qu'est-ce que vous allez faire après le collège?'
Écrivez environ 80 mots. Mentionnez:

- le bac/l'emploi qui vous intéresse et pourquoi
- ce qui ne vous intéresse pas et pourquoi
- la faculté que vous allez choisir et pourquoi
- le métier que vous voudriez faire après l'université.

(25 marks)

Score   / 30

For more on this topic see pages 88–91 of your Success Guide.   Total score   / 40

How well did you do?   ✗ 1–10 **Try again** 11–20 **Getting there**   21–30 **Good work**   31–40 **Excellent!** ✓

Which way to go? 2

A

Choose just one answer: a, b, c or d.

1 Modal verbs are usually followed by:
a) à + infinitive
b) an infinitive
c) de + infinitive
d) d' + infinitive   (1 mark)

2 'I want to earn my living.' =
'Je veux .... ma vie.'
a) gagne
b) gagné
c) gagner
d) gagnais   (1 mark)

3 'I'm learning to do marketing.' =
'J'apprends .... faire le marketing.'
a) de
b) d'
c) à
d) [nothing]   (1 mark)

4 'Il refuse .... rester au collège.'
a) d'
b) à
c) [nothing]
d) de   (1 mark)

5 'Tu as décidé .... faire un stage?'
a) [nothing]
b) à
c) d'
d) de   (1 mark)

Score   / 5

B

Answer all parts of the question.

1 Write down the English for these work-related words.

a) un apprentissage = ...

b) un emploi = ...

c) le commerce = ...

d) le tourisme = ...

e) le marketing = ...

f) l'hôtellerie = ...

g) l'informatique = ...

h) la mécanique = ...

i) l'industrie = ...

j) les télécommunications = ...

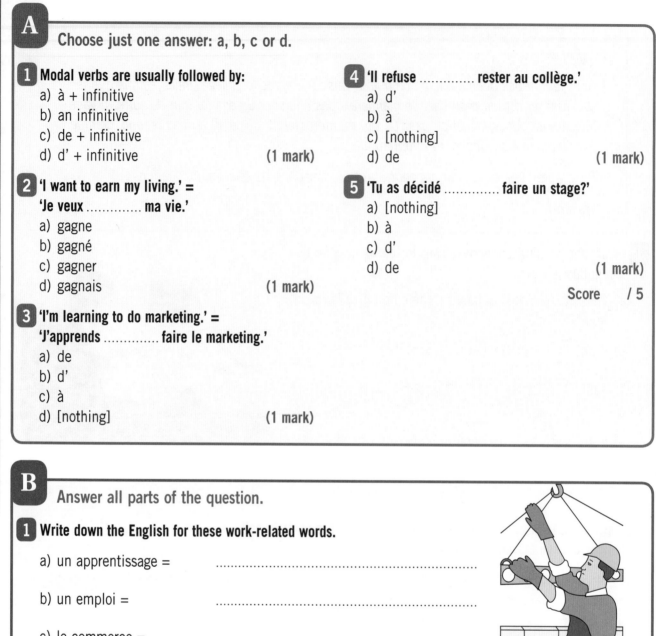

Score   / 10

C

These are GCSE-style questions. Answer all parts of the questions. Continue on separate paper where necessary.

Read this job centre poster.

ORIENTATIONS: QUESTIONS ET RÉPONSES

Vous voulez travailler dans le tourisme?
> Vous êtes indépendant et logique?

Vous voulez faire un apprentissage dans la mécanique?
> Vous êtes pratique et méthodique?

Vous allez chercher un emploi dans le marketing?
> Vous êtes original et créateur?

C'est le commerce qui vous intéresse?
> Vous êtes responsable et indépendant?

Adressez-vous au bureau à l'intérieur.

---

1 Fill in the details in English.

Occupation	You need to be ...
engineering	a) ....
business	b) ....
travel industry	c) ....
marketing	d) .... (8 marks)

2 Imagine you're going to be interviewed about your future career.
Write some notes in French to prepare for the interview. Say:

- what you wouldn't like to do
- what you would like to do
- what you have decided to do
- what your reasons are.

(12 marks)

Score / 20

For more on this topic see pages 88–91 of your Success Guide.

Total score   / 35

How well did you do?   ✗ 0–8 **Try again**   9–18 **Getting there**   19–26 **Good work**   27–35 **Excellent!** ✓

Notes

Exam practice papers

EXAM PRACTICE 1

Speaking

Role Play 1

You are talking to your French friend about your bedroom. Say you have your own bedroom. Say there's a bed, a wardrobe and a table in the room. Say there's also a computer and a television. Say you do your homework in your room. **(4 marks)**

Role Play 2

You are talking to your French friend about your daily routine. Say you get up at 7 a.m. Say you leave home at 7.45 a.m. Say lessons start at 8.30 a.m. and end at 4 p.m. Say you normally stay at home in the evenings.

(4 marks)

Writing

1 **Imagine you are taking part in a survey on what young people would like in their ideal town. Add four more features to the example.**
Exemple: centre commercial

a) ....

b) ....

c) ....

d) ....

(4 marks)

2 **Écrivez un e-mail à votre correspondant(e) au sujet de vos petits emplois.**
Mentionnez:

- tous les petits emplois que vous avez faits **(4 marks)**
- combien vous avez gagné à chaque fois **(4 marks)**
- ce que vous avez fait pour gagner votre argent **(4 marks)**
- comment vous avez trouvé les petits emplois. **(4 marks)**

(16 marks total)

Reading

You visit a French school and see these signs in the entrance hall.

Rez-de-chaussée:	accueil et bureau du directeur gymnase et piscine salles de classe 01–20
Au 1er étage:	laboratoires de sciences salle d'informatique salles de classe 21–35
Au 2ème étage:	salle des professeurs bibliothèque salles de classe 36–45

1 **Answer the questions in English.**

a) What is on the ground floor apart from classrooms and the gymnasium?

....

....

....

(3 marks)

b) Where can you find the staff room?

....

....

(1 mark)

c) What specialist rooms are on the first floor?

....

....

(2 marks)

(6 marks total)

Regardez ces matières.

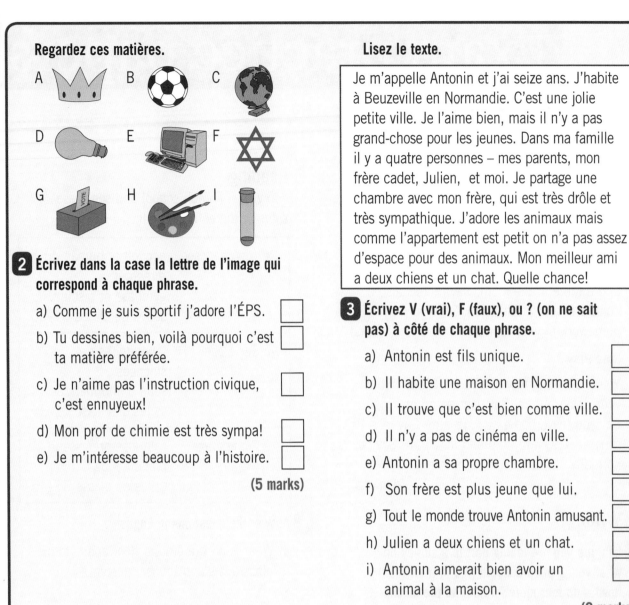

A (crown) B (football) C (globe)

D (lightbulb) E (computer) F (star of David)

G (ballot box VOTE) H (paint palette) I (test tube)

2 Écrivez dans la case la lettre de l'image qui correspond à chaque phrase.

a) Comme je suis sportif j'adore l'ÉPS. ☐

b) Tu dessines bien, voilà pourquoi c'est ta matière préférée. ☐

c) Je n'aime pas l'instruction civique, c'est ennuyeux! ☐

d) Mon prof de chimie est très sympa! ☐

e) Je m'intéresse beaucoup à l'histoire. ☐

(5 marks)

Lisez le texte.

Je m'appelle Antonin et j'ai seize ans. J'habite à Beuzeville en Normandie. C'est une jolie petite ville. Je l'aime bien, mais il n'y a pas grand-chose pour les jeunes. Dans ma famille il y a quatre personnes – mes parents, mon frère cadet, Julien, et moi. Je partage une chambre avec mon frère, qui est très drôle et très sympathique. J'adore les animaux mais comme l'appartement est petit on n'a pas assez d'espace pour des animaux. Mon meilleur ami a deux chiens et un chat. Quelle chance!

3 Écrivez V (vrai), F (faux), ou ? (on ne sait pas) à côté de chaque phrase.

a) Antonin est fils unique. ☐

b) Il habite une maison en Normandie. ☐

c) Il trouve que c'est bien comme ville. ☐

d) Il n'y a pas de cinéma en ville. ☐

e) Antonin a sa propre chambre. ☐

f) Son frère est plus jeune que lui. ☐

g) Tout le monde trouve Antonin amusant. ☐

h) Julien a deux chiens et un chat. ☐

i) Antonin aimerait bien avoir un animal à la maison. ☐

(9 marks)

TOTAL SCORE /48

EXAM PRACTICE 2

Speaking

Role Play 1

You are talking to your French friend about your town. Say you go into the town centre every day. Say you usually walk. Say there's lots to do in town. Say it's a big town with lots of atmosphere. **(4 marks)**

Role Play 2

You are talking to your French friend about your leisure activities. Say you love to do the shopping. Say you do the cooking at weekends. Say you're not very sporty … but you like to watch football matches on the television. **(4 marks)**

Writing

1 **You use your French correspondent's computer to e-mail another French friend while you are on an exchange visit. Tell them about your plans.**

- You want to play tennis on Friday evening at the sports centre.
- Invite them to play with you.
- Ask them if they want to go to the cinema on Saturday afternoon.
- Say you can meet outside the shopping centre at 1.30 p.m. **(8 marks)**

2 **Écrivez une lettre en français à votre correspondant(e) français(e).**
Mentionnez:

- ce que vous avez fait ce week-end **(3 marks)**
- qui vous a accompagné(e) **(3 marks)**
  quand vous êtes sortis et quand vous
  êtes rentrés **(3 marks)**
- comment vous allez passer le week-end
  prochain. **(3 marks)**

(12 marks total)

Reading
Regardez ces images.

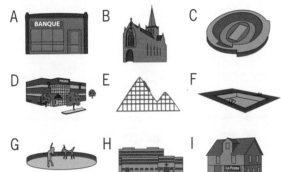

1 **Écrivez dans la case la lettre de l'image qui correspond à chaque phrase.**

a) On se retrouve à l'hôpital? ☐

b) C'est en face de la cathédrale. ☐

c) Tu vas au parc d'attractions ce
   week-end? ☐

d) On a vu un beau match samedi dernier! ☐

e) Rendez-vous à midi devant la patinoire. ☐

f) Tu vas rester longtemps à la piscine? ☐

(6 marks)

Lisez les textes.

A J'ai passé mes grandes vacances en
  Espagne. J'y suis allée avec ma meilleure
  amie. C'était super, surtout le soir, car
  il y avait beaucoup de restaurants et
  discothèques en ville. Nathalie

B Malheureusement je n'ai pas pu partir
  en vacances. J'étais malade alors je
  suis resté tout seul à la maison, quand
  mes parents étaient à Rome. Quelle
  malchance! Tant pis! Cet été je vais
  pourtant partir en Allemagne. Simon

C Je n'ai pas tellement apprécié mes
  dernières vacances en Grèce. Il a fait
  très beau et j'ai fait la connaissance
  de beaucoup de jeunes le jour sur la
  plage. Mais j'ai dû accompagner mes
  parents tous les jours et au fait je ne
  suis pas fanatique de visites guidées et
  excursions. Régis

D L'année dernière on a fait du camping
  en Bretagne près de Concarneau. Le
  camping était superbe et la ville aussi
  avec son port charmant. C'est vrai
  qu'il a plu beaucoup mais ça arrive
  en Bretagne, et en plus on a eu des
  journées bien ensoleillées aussi. Louna

E C'était mon premier séjour en Corse
  et j'espère y retourner un jour. C'est
  un pays extraordinairement beau. Il a
  fait un temps magnifique pendant les
  quinze jours de nos vacances là-bas. J'ai
  trouvé les gens très accueillants et très
  sympas. Nadège

2 **Écrivez la lettre dans la bonne case.**

a) Qui n'était pas content des aspects
   touristiques de ses vacances? ☐

b) Qui a été très content de son séjour
   sur une île méditerranéenne? ☐

c) Qui ne partira pas avant cet été? ☐

d) Qui a apprécié en particulier les
   activités du soir pendant ses
   vacances? ☐

e) Qui n'a pas pu aller en Italie? ☐

f) Qui a passé ses vacances sous
   la tente? ☐

g) Qui a rencontré d'autres jeunes
   gens en vacances? ☐

h) Qui a eu du mauvais temps mais
   n'en a pas été trop déçu? ☐

i) Qui est parti avec sa copine? ☐

(9 marks)

TOTAL SCORE /43

Speaking

Role Play 1

You are at the reception desk in a hotel in France. Say you have booked two rooms. Say it's two family rooms for eight days. Say you'd like one room with a shower and one with a bath. Ask if breakfast is included. **(4 marks)**

Role Play 2

While you are on an exchange visit to France, someone stops you to ask for directions to the town centre. Say it's 20 minutes on foot. Say take the third road on the left. Say turn right at the lights and go straight on. Say cross the bridge and take the first road on the right. **(4 marks)**

Writing

1 Send an e-mail to the 'Camping du Val'. **Include all of the following information:**

- You phoned on June 10.
- You booked two pitches for tents for ten days.
- It's in the name of Mr A. Simon.

(5 marks)

2 Vous avez été témoin d'un accident de route. Écrivez 80 mots sur l'accident. **Mentionnez:**

- les véhicules dans l'accident
- l'heure du jour et le temps qu'il faisait
- comment l'accident s'est produit
- ce que vous avez fait pour aider les blessés
- le rôle de la police, de l'ambulance ou des pompiers.

(20 marks)

Reading

You are on holiday in France when you see this poster advertising a campsite.

Camping 'les Acacias'

- 150 emplacements
- 50 caravanes à louer
- restaurant et bar
- piscine chauffée
- salles de jeux et courts de tennis
- animation: activités en plein air
- randonnées pédestres en forêt

1 Answer the questions in English.

a) What does the number 150 refer to?

....

b) What does the poster say about 50 caravans?

....

c) What sort of swimming pool is it?

....

d) Apart from tennis courts, what other facilities are available to the campers?

....

e) Where are there organised walks?

....

(5 marks)

Lisez le texte.

Opinion du jour: manger sain

Je sais que la plupart des parents se déclarent anti-fast-foods, même si on peut voir beaucoup d'adultes tous les jours en train de manger un hamburger-frites bien gras au centre-ville. Je sais aussi qu'on doit s'occuper de sa santé, sinon on risque de souffrir de toutes sortes de maladies plus tard. Je ne dis même pas que tous les plats végétariens sont dégoûtants! Mais je ne suis pas végétarien, et je ne veux pas nier que je préfère le goût d'une bonne pizza et d'un steak-frites. Les pâtes, le riz, la salade verte, ça fait du bien mais pas tout le temps! Laissez-moi manger des plats un peu moins fades de temps en temps, au moins! Ce n'est pas seulement en mangeant sain qu'on va garder la forme. Je fais régulièrement de l'exercice, je pratique beaucoup de sports, je me lève tôt et je me couche de bonne heure. Ce n'est pas là un bon régime après tout? Alors, ne critiquons pas les jeunes qui fréquentent les fast-foods. Ne soyons pas hypocrites, chers parents et adultes!

Marc, 17 ans

2 **Répondez aux questions en français.**

a) Quelle est l'attitude de la majorité des parents envers les fast-foods selon Marc?

....

(2 marks)

b) Qu'est-ce qui pourrait arriver, si on ne s'occupait pas de sa santé?

....

(2 marks)

c) Pourquoi Marc préfère-t-il les plats non-végétariens?

....

(2 marks)

d) Comment peut-on garder la forme à part manger sain, à son avis?

....

(2 marks)

e) Que pense-t-il des adultes qui critiquent le régime des jeunes?

....

(2 marks)

(10 marks total)

TOTAL SCORE **/48**

EXAM PRACTICE 4

Speaking

Role Play 1

You are at the doctor's in France. Say you feel ill. Say you have eaten some oysters. Say you're not allergic to seafood. Say you have a headache. **(4 marks)**

Role Play 2

You are at a market in France. Ask for half a kilo of peaches. Ask whether they have any grapefruit. Ask how much a melon costs. Say you'll take three. **(4 marks)**

Writing

1 **Write a short e-mail of five sentences on how you celebrate festivals such as Christmas, Hanukka, Diwali, Ramadan, etc. Include details about things such as:**

gifts, meals, candles/fireworks, singing/music, ceremonies, etc. **(5 marks)**

2 **Écrivez un article d'environ 80 mots intitulé 'La vie après le collège'.**
Mentionnez:

- ce qui vous interesse – le baccalauréat ou un emploi?
- les études en faculté ou un apprentissage/un métier
- votre métier éventuel
- ce que vous (n')aimeriez (pas) faire
- comment vous préférez travailler. **(25 marks)**

Reading

1 **You are on holiday with your family in France and see these signs and notices in town.**

Pressing:
Ouvert sept jours sur sept

a) When is this dry cleaner's open?

....

En promotion: asperges

b) What is on offer on this market stall?

....

Au chat botté: Restaurant Gastronomique
Réservation recommandée

c) What are you advised to do by this restaurant?

....

SOLDES: Chapeaux et casquettes

d) What items are in the sale here?

....

Enrhumé? Prenez 'Toux-va-bien'.
Remède express.

e) What does 'Toux-va-bien' claim to cure?

....

(5 marks)

Lisez le texte.

Quel homme?

La terre devient de plus en plus chaude. Pourquoi? À cause de l'homme automobiliste et de l'homme industrialiste et son gaz carbonique de voitures et d'usines.

Les animaux deviennent de plus en plus menacés et risquent même de disparaître. Pourquoi? À cause de l'homme chasseur qui tue les espèces rares. À cause de l'homme constructeur qui détruit les forêts amazoniennes.

Les mers et les rivières deviennent de plus en plus polluées. Pourquoi? À cause de l'homme producteur de pétrole et de produits chimiques.

La campagne et les rues deviennent de plus en plus sales. Pourquoi? À cause de l'homme consommateur qui refuse de recycler ses déchets.

Et la solution? Faisons ressortir l'homme naturel, qui se déplace à pied, à vélo et en transports communs; qui apprécie la valeur de tous les animaux; qui comprend que les forêts aident la terre à respirer et donc à vivre; qui cherche d'autres ressources d'énergie que le pétrole et le gaz; qui se sert de produits recyclés et qui recycle constamment ses déchets domestiques.

Alors, choisissons: l'homme-problème ou l'homme-solution.

2 **Answer the questions in English.**

a) Name the seven types of 'problem-man' named in the article (the first one is done for you).

<u>motor man</u>
....

(6 marks)

b) Where does the carbon dioxide come from?

....

(1 mark)

c) Where does hard wood for building come from?

....

(1 mark)

d) What two products most pollute the Earth's waterways?

....

(2 marks)

(10 marks total)

3 Cochez ✔ **les cinq phrases correctes.**

a) La terre se réchauffe. ☐

b) Les espèces rares ne vont pas disparaître. ☐

c) La construction détruit l'atmosphère de la terre. ☐

d) Les pétroliers salissent les mers et les océans. ☐

e) Il y a plus de déchets à la campagne que dans les rues. ☐

f) On ne recycle pas assez ses déchets. ☐

g) L'homme-naturel est l'homme-solution. ☐

(5 marks)

TOTAL SCORE **/58**

Exam practice paper answers

EXAM PRACTICE 1

Speaking

Role Play 1

J'ai ma propre chambre.
Il y a un lit, une armoire et une table dans ma chambre.
Il y a aussi un ordinateur et une télévision.
Je fais mes devoirs dans ma chambre. **(4 marks)**

Role Play 2

Je me lève à sept heures (du matin).
Je quitte la maison à huit heures moins le quart.
Les cours commencent à huit heures et demie et se terminent (finissent) à quatre heures.
Normalement je reste à la maison le soir.

(4 marks)

Writing

1 a) cinéma(s)   c) parc(s)
   b) cafés   d) piscine
   (Accept other sensible answers)   **(4 marks)**

2 Eight marks for transmission of message and eight marks for use of tenses, range of language, accuracy, etc.   **(16 marks)**

Reading

1 a) reception, head teacher's office, swimming pool
   b) second floor
   c) science labs and computer room   **(6 marks)**

2 a) B b) H c) G d) I e) A   **(5 marks)**

3 a) F b) F c) V d) ? e) F
   f) V g) ? h) F i) V   **(9 marks)**

EXAM PRACTICE 2

Speaking

Role Play 1

Je vais au centre-ville tous les jours.
Normalement j'y vais à pied.
Il y a beaucoup à faire en ville.
C'est une grande ville avec beaucoup d'ambiance.   **(4 marks)**

Role Play 2

J'adore faire le shopping/les courses.
Le week-end je fais la cuisine.
Je ne suis pas très/tellement sportif/sportive … mais j'aime regarder les matchs de foot(ball) à la télé.

(4 marks)

Writing

1 Je veux jouer au tennis vendredi soir au centre sportif.
Tu veux jouer avec moi?
Tu veux/as envie d'aller au cinéma samedi après-midi?
On se retrouve devant le centre commercial à une heure et demie/treize heures trente?

(8 marks)

2 Four marks for transmission of message and eight marks for use of tenses, range and accuracy of language.   **(12 marks)**

Reading

1 a) H b) B c) E d) C e) G f) F

(6 marks)

2 a) C b) E c) B d) A e) B
   f) D g) C h) D i) A   **(9 marks)**

EXAM PRACTICE 3

Speaking

Role Play 1

J'ai réservé deux chambres.
Deux chambres de famille pour huit jours.
J'aimerais une chambre avec douche et
une chambre (l'autre) avec salle de bains/
baignoire.
Le petit déjeuner est compris? **(4 marks)**

Role Play 2

C'est à vingt minutes (d'ici) à pied.
Prenez la troisième (rue) à gauche.
Tournez à droite aux feux et continuez tout
droit.
Passez/Traversez le pont et prenez la
première (rue) à droite. **(4 marks)**

Writing

1 J'ai téléphoné le dix juin.
J'ai réservé deux emplacements pour
dix jours.
C'est au nom de Monsieur A. Simon. **(5 marks)**

2 Eight marks for transmission of message
and 12 marks for use of tenses, range and
accuracy of language. **(20 marks)**

Reading

1 a) pitches
b) they are for rent/hire
c) heated
d) games rooms
e) in the forest **(5 marks)**

2 a) Ils sont contre les fast-foods./Ils trouvent
qu'ils sont nocifs.
b) On pourrait tomber malade (plus tard).
c) Parce qu'ils n'ont pas de goût fade.
d) On peut prendre de l'exercice.
e) Ils les trouve hypocrites. **(10 marks)**

EXAM PRACTICE 4

Speaking

Role Play 1

Je me sens malade.
J'ai mangé des huîtres.
Je ne suis pas allergique aux fruits de mer.
J'ai mal à la tête. **(4 marks)**

Role Play 2

Je voudrais un demi-kilo de pêches.
Avez-vous des pamplemousses?
Un melon, c'est combien (la pièce)?
J'en prends trois. **(4 marks)**

Writing

1 One mark per sentence for transmission of
message. **(5 marks)**

2 Ten marks for transmission of message
and 15 marks for use of tenses, range and
accuracy of language. **(25 marks)**

Reading

1 a) seven days a week
b) asparagus
c) book a table
d) hats and caps
e) colds **(5 marks)**

2 a) motor-man, industrial-man, hunting-man,
building-man, oil-producing-man,
chemical-producing-man, consumer-man
b) cars and factories
c) Amazon forests
d) (crude) oil and chemical products **(10 marks)**

3 a, c, d, f and g are correct. **(5 marks)**